KB023550

초등학생을 위한

표준 한국어

고학년

의사소통 4

초등학생을 위한 표준 한국어

국립국어원 기획 | 이병규 외 집필

고학년

의사소통 4

마리북스

발간사

다문화가정 학생 수는 매년 증가하여 2018년 12만여 명에 이릅니다. 그런데 중도입국자녀나 외국인 가정 자녀와 같은 다문화 학생들은 학령기 학생에게 기대되는 한국어 능력 수준에 이르지 못하는 경우가 많습니다. 이는 다문화 학생이 교과 학습 능력을 갖추지 못하거나 또래 집단 문화에 적응하지 못하는 결과로 이어지고, 결국 한국 사회에 안정적으로 정착하는 데 어려움을 겪는 주요한 원인이 됩니다. 따라서 다문화 학생을 위한 교육 지원은 보다 전문적이고 체계적으로 이루어져야 합니다.

학령기 한국어 학습자를 위한 정부 지원은 교육부에서 2012년에 '한국어 교육과정'을 개발하여 고시하였고, 국립국어원에서 교육과정을 반영한 학교급별 교재를 개발하면서 본격적으로 이루어졌습니다. 그 후 '한국어 교육과정'이 개정·고시(교육부 고시 제2017-131호)되었습니다. 이에 국립국어원에서는 2017년부터 개정된 교육과정에 따라 한국어 교재를 개발하고 있으며, 그 첫 번째 결과물로 초등학교 교재 11권, 중고등학교 교재 6권을 출판하게 되었습니다. 교사용 지도서는 별도로 출판은 하지 않지만 국립국어원 한국어교수학습샘터에 게시해 현장 교사들이 무료로 이용할 수 있게 하였습니다.

이번 교재 개발에는 언어학 및 교육학 전문가가 집필자로 참여하여 한국어 교육의 전문적 내용을 쉽고 친근하게 구성하기 위해 노력하였습니다. 특히 이 교재는 언어 능력 향상뿐만 아니라 서로 다른 문화를 이해하여, 한국 사회 구성원으로서 정체성을 확립하는 데 도움이 되도록 개발하였습니다.

아무쪼록 《초등학생을 위한 표준 한국어》 교재가 다문화가정 학생들이 한국어를 쉽고 재미있게 배워서 한국 사회에서 자신의 꿈을 키워 나가는 데 도움을 줄 수 있기를 바랍니다.

끝으로 이 교재의 개발을 위해 최선의 노력을 기울여 주신 교재 개발진과 출판사에 깊은 감사의 말씀을 드립니다.

2019년 2월

국립국어원장 소강춘

머리말

2012년 '한국어(KSL) 교육과정'이 고시되면서 초등 및 중등 학습자를 위한 한국어(KSL) 교육은 공교육의 체제 속에서 전개되어 왔습니다. 모어 배경과 문화, 생활 경험과 언어적 환경 등에서 매우 다양한 한국어(KSL) 학습자들은 '한국어(KSL) 교육과정'이 적용된《표준 한국어》교재를 배워 왔고 일상생활과 학교생활에 필요한 한국어 능력을 길러 왔습니다. 이제 학교에서의 한국어(KSL) 교육은 새로운 도약을 목전에 두고 있다고 할 수 있습니다. 지난 2017년에 '한국어(KSL) 교육과정'이 개정되면서, 개정 교육과정이 적용된 새로운 교재 11권이 세상에 빛을 보게 되었기 때문입니다.

새로 발행되는《초등학생을 위한 표준 한국어》교재 편찬에서는 두 가지 원칙을 분명히 하고 있습니다. 첫째, 개정된 교육과정의 관점과 내용 체계, 교재 개발을 위한 기초 연구의 성과 등을 충실하게 반영하는 것입니다. 〈의사소통 한국어〉 교재와 〈학습 도구 한국어〉 교재를 분권하는 것이나 학령의 특수성을 고려한 저학년용, 고학년용 교재의 구분 등은 이러한 맥락에서 실행되었습니다. 또한 교육과정에서 제시한 언어 재료는 주요한 내용 설정의 준거가 되었습니다. 더불어 '내용 모듈화'의 방안을 살려 학습자의 특성과 교육 현장의 필요에 적합한 내용 선택 및 재구성이 가능하도록 하였습니다.

둘째, 초등학생 한국어(KSL) 학습자와 교육 현장을 충분히 이해하고 고려하는 것입니다. 이를 위해 연구 집필진은 초등학생 한국어(KSL) 학습자의 언어 환경, 한국어 학습의 조건과 요구 등을 파악하는 데에 많은 노력을 기울였습니다. 초등학생 학습자의 일상, 학교생활, 교과 수업의 장면을 주제화하고 이러한 주제를 중심으로 필수 어휘와 문법, 표현을 재선정하였습니다. 초등학생들에게 적합한 이미지 중심의 내용 제시, 놀이 활동의 강화, 한글 교육 내용의 특화 등도 강조하였습니다.

개정《초등학생을 위한 표준 한국어》교재의 편찬을 위해 많은 관심과 지원을 아끼지 않은 국립국어원 소강춘 원장님을 비롯한 관계자 여러분께 감사드립니다. 고된 작업 일정과 어려운 여건 속에서도 진심과 열정으로 임해 주셨던 연구 집필진 선생님들께, 그리고 마리북스 출판사에도 깊은 감사의 마음을 전합니다.

언어는 사람의 삶, 그 자체입니다. 초등학생 학습자들이 이 책을 가지고 한국어를 배우는 것으로 삶의 큰 기쁨과 힘을 얻기를 바랍니다. 새로운 세상을 열고 새로운 존재로서의 자신을 단단히 깨닫게 되기를 바라는 마음입니다.

2019년 2월

연구 책임자 이병규

일러두기

〈의사소통 한국어 4〉 고학년 교재는 초등학교 3~6학년 학생들이 일상생활과 학교생활을 하는 데 필요한 한국어 능력을 기를 수 있도록 개발되었습니다. 초등학교 3~6학년 학생들이 일상생활과 학교생활에서 자주 쓰는 한국어 어휘와 문법, 표현을 배울 수 있도록 하였고, 듣고 말하고 읽고 쓰는 문식 활동을 충분히 경험하도록 하였습니다. 이 교재는 전체 8단원으로 구성되어 있으며 각 단원의 1~4차시는 의사소통 능력을 키우기 위하여 반드시 기본적으로 배워야 하는 기능과 지식이 포함되어 있는 필수 차시이고, 5~8차시는 필수 차시 학습 내용을 다양한 말이나 글의 유형에 통합하여 심화 학습 할 수 있는 선택 차시로 구성하였습니다. 〈의사소통 한국어 4〉 각 단원의 선택 차시는 학습자의 수준과 학령에 따라 〈학습 도구 한국어〉 3~4학년군이나 5~6학년군의 각 단원(9~16단원)의 차시와 선택적으로 학습이 이루어질 수 있도록 구성하였습니다.

 해당 차시 목표 어휘  해당 차시 목표 문법  듣기 자료

이 책의 구성

단원	주제	기능	문법	어휘	문화	담화 유형
1	기상 현상	• 조언하기 • 확인하기	으로 인해, –을수록, –게 되다, –도록 하다	기상 현상 관련 어휘 기후 관련 어휘	여름 장마철	대화, 수업 대화, 뉴스, 신문 기사
2	체육 활동	• 역할 정하기 • 협상하기	–을 테니까, –었더니, 대신에	운동 관련 어휘	전통 놀이	대화, 편지, 일기, 쪽지
3	명절과 기념일	• 경험 말하기 • 설명하기	–더라, –는데, –곤 하다, –었던	명절 풍습 및 기념일 관련 어휘	명절 인사	대화, 설명문, 기행문, 백과사전
4	모임 활동	• 주장하기 • 불만 말하기	–는대요, –으래요, –재요, –는 게 어때요, –기는 하지만, –기 위해서	모둠 활동 관련 어휘	협동의 중요성에 대한 속담	대화, 건의문, 온라인 대화, 포스터
5	친구 관계	• 감정 표현하기 • 변명하기 • 제안하기	–을까 봐, –는 덕분에, –느라고, –으면 안 될까	감정 관련 어휘	신체 관련 감정 표현	대화, 편지, 신문
6	실수와 후회	• 후회 표현하기 • 다짐을 말하기	–고 말다, –었구나, –을걸, –어야지	실수 관련 어휘 후회 관련 어휘	속담 알아보기	대화, 일기, 동화, 다짐 글
7	인물	• 묘사하기 • 강조하기	을 위해, –게 하다, –을 뿐 아니라, –든지	인물 일대기 관련 어휘	위인들의 명언	대화, 전기문, 발표문, 독서 감상문
8	진로	• 칭찬하기 • 추측하기	–던데, –잖아, –은가 보다, –어서인지	적성 관련 어휘 성격 관련 어휘	적성과 직업	대화, 수업 대화, 발표문, 신문 기사

단원 구성과 교재 활용 방법

· 단원 구성

이 집은 필수 차시와
선택 차시로 완성됩니다.

필수 차시의
학습 주제 목록입니다.

선택 차시의
학습 주제 목록입니다.

필수
1 학교에서의 실수
2 교실에서의 실수
3 후회하는 일
4 친구와 사이좋게 지내기

선택 1
5 청개구리 이야기 읽기
6 재미있는 실수 말하기
7 다짐의 글 쓰기
8 생각 넓히기

선택 2
학습 도구
한국어

· 교재 활용

도입

단원 번호와 단원명
단원의 주제를 제목으로 제시하였습니다.

학습 목표
단원의 학습 목표를 제시하였습니다.

도입 질문
단원 학습 주제와 관련된 단원 도입 질문 두 가지를 제시하였습니다.

도입 장면
단원 주제와 관련되어 있으며, 학생들의 일상생활과 연계한 장면을 제시하였습니다.

필수 차시

차시 번호와 차시 제목

해당 차시의 주제를 제목으로 제시하였습니다.

제시 활동

해당 차시에 도입되는 학습 대상 어휘나 문법을 그림, 낱말, 대화, 글 등의 형식으로 제시하였습니다.

듣기 자료

학습 대상 어휘나 문법의 도입, 대화, 읽기 자료가 녹음되어 있습니다.

연습 활동

학습 대상 어휘나 문법을 장면, 그림, 게임 등을 통해 공부합니다. 익힘책이 활용됩니다.

글자 색깔

학습 대상 문법이 드러나도록 빨간색 글자로 표시하였습니다.

1 학교에서의 실수

1. 친구들이 한 실수를 이야기해 봅시다. 22

1) 잘 듣고 따라 하세요.

2) 잘 듣고 붙임 딱지를 그림에 붙여 보세요. 붙임 딱지

2. 그림 속 친구들이 되어 다음과 같이 말해 봅시다.

가: 표정이 왜 그래? 무슨 일 있어?
나: 달리기하다가 넘어지고 말았어.
가: 저런, 속상했겠다.

3. 실수한 경험을 이야기해 봅시다.

1) 다니엘은 무슨 실수를 했어요?

2) 다니엘은 왜 그런 실수를 했어요?

3) 여러분은 어떤 실수를 한 적이 있어요?

108 • 의사소통 한국어 4

목표 어휘와 목표 문법

학습 대상 어휘나 문법을 확인할 수 있습니다.

물을 엎지르다, 길을 잃다, 배턴을 놓치다, 창문을 깨뜨리다, 넘어지다, 헛발질을 하다, 돌부리에 발이 걸리다, 친구와 부딪치다

-고 말다

저는 달리기를 하다가 넘어졌어요. 앞 친구보다 빨리 가고 싶어서 빨리 뛰었는데, 갑자기 몸이 앞으로 기울어졌어요. 그래서 넘어지고 말았어요. 열심히 뛰었는데 아쉬웠어요.

적용 활동

학습한 내용을 일상생활에 적용하고 실천하며 내면화합니다. 익힘책이 활용됩니다.

장면

학생들의 실제적인 언어 상황이 드러나도록 언어 활동 장면을 구성하였습니다.

선택 차시

차시 제목

선택 차시의 제목은 말이나 글의 유형과 언어 기능을 통합하여 제시합니다.

차시 번호

5~8은 선택 차시를 나타냅니다.

5 청개구리 이야기 읽기

1. 다음을 읽고 질문에 답해 봅시다.

옛날에 '아리'라는 청개구리 한 마리가 살았어요. 아리는 엄마 말을 잘 듣지 않고 늘 반대로 행동했어요. 엄마가 반찬을 골고루 먹으라고 하면 한 가지 반찬만 먹었고, 엄마가 아리가 감기에 걸릴까 봐 긴바지를 입으라고 하면 반바지를 입었어요. 엄마가 집에 일찍 들어오라고 하면 해가 지고 나서야 들어왔고요. 엄마는 말 안 듣는 아리 때문에 늘 속이 상했어요.

그러던 어느 날 엄마가 깊은 병에 걸리고 말았어요. 아리는 엄마 곁에서 열심히 간호를 했어요. 그렇지만 엄마의 병은 낫지 않았어요. 엄마는 돌아가시기 전에 아리에게 말씀하셨어요. "엄마가 죽으면 엄마를 강가에 묻어 주렴." 엄마는 아리가 늘 반대로 하니까 이렇게 말해야 아리가 엄마를 산에 묻을 거라고 생각했어요. 그런데 아리는 '이번에는 엄마 말대로 해야지.'라고 생각하고는 엄마 말대로 강가에 엄마를 묻었어요. 늘 엄마 말과 반대로 행동해서 엄마가 속상해 하셨으니 엄마의 마지막 말씀은 꼭 따르겠다고 다짐했거든요.

그 뒤로 아리는 밥을 먹으면서도 '개굴개굴, 엄마 말대로 반찬을 골고루 먹을걸.' 옷을 입으면서도 '개굴개굴, 엄마 말대로 추운 날엔 긴바지를 입을걸.' 집에 돌아가면서도 '개굴개굴, 엄마 말대로 일찍 집에 들어갈걸.' '엄마 말대로 할걸.' 하면서 아리는 매일 후회했어요. 특히 비가 오는 날이면 아리는 엄마의 무덤이 떠내려갈까 봐 걱정이 돼서 엄마 무덤 앞에서 "개굴개굴" 울었어요. 여러분, 비 오는 날 개구리가 우는 소리를 들은 적이 있어요? 그 소리가 바로 엄마 무덤이 떠내려갈까 봐 걱정하는 아리의 울음소리랍니다.

1) 엄마는 왜 늘 속이 상했어요?

2) 엄마는 왜 아리에게 강가에 묻어 달라고 했어요?

3) 비가 오는 날에 아리는 왜 '개굴개굴' 울었어요?

	엄	마	의		무	덤	이								

2. 아리가 무엇을 후회하는지 말해 봅시다.

3. 여러분이 아리와 같이 후회한 경험을 말해 봅시다.

116 • 의사소통 한국어 4

6. 실수와 후회 • 117

언어 활동

동화 읽기, 노래하기, 놀이하기, 연극하기, 퍼즐 맞추기 등 다양한 유형의 활동을 통해 필수 차시에서 배운 어휘와 문법을 언어 기능과 함께 심화 학습을 합니다.

학습 전개

학습 내용에 따라
읽기 전-읽기 중-읽기 후
말하기 전-말하기 중-말하기 후 등
다양한 전개 방식으로 학습합니다.

심화 학습 활동

선택 차시는 차시별로 말하기, 듣기, 쓰기, 읽기 심화 활동으로 구성하였습니다. 필수 차시에서 학습한 내용을 최대한 활용하여 다양하고 흥미로운 활동을 해 봄으로써 유창성을 향상시키고 더불어 자신감도 키울 수 있도록 하였습니다.

놀이를 통한 학습 활동

초등 학습자의 흥미를 높이면서도 학습 효과가 높은 말판 놀이, 십자풀이, 퍼즐 등을 통해 복습, 심화 학습을 합니다.

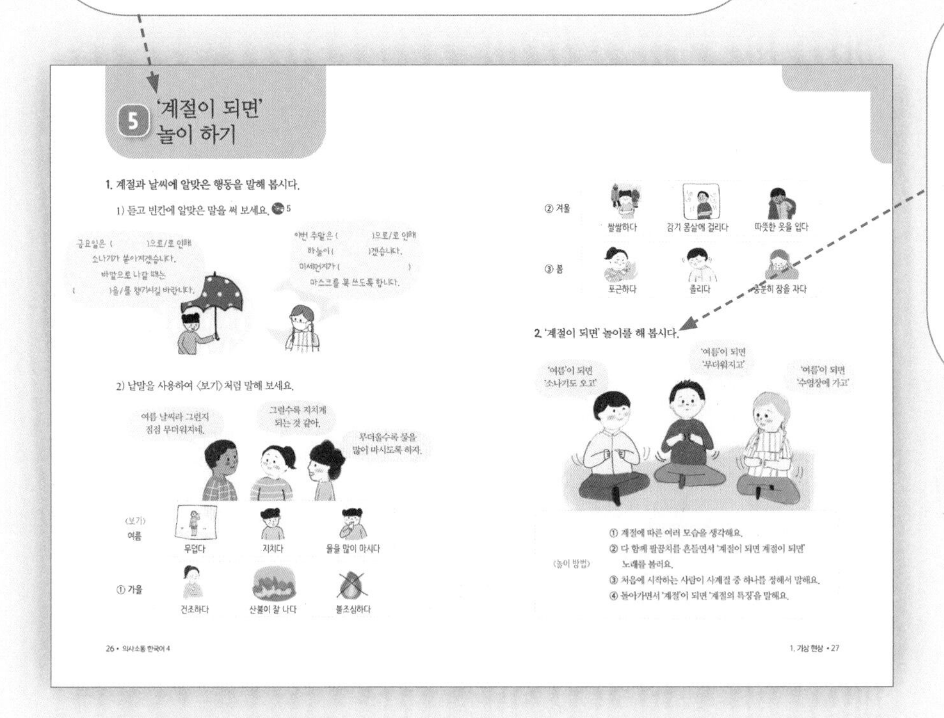

5 '계절이 되면' 놀이 하기

1. 계절과 날씨에 알맞은 행동을 말해 봅시다.

1) 듣고 빈칸에 알맞은 말을 써 보세요. 5

2) 낱말을 사용하여 〈보기〉처럼 말해 보세요.

〈보기〉 여름	무덥다	지치다	물을 많이 마시다
① 가을	건조하다	산불이 잘 나다	불조심하다
② 겨울	쌀쌀하다	감기 몸살에 걸리다	따뜻한 옷을 입다
③ 봄	포근하다	졸리다	충분히 잠을 자다

2. '계절이 되면' 놀이를 해 봅시다.

〈놀이 방법〉
① 계절에 따른 여러 모습을 생각해요.
② 다 함께 팔꿈치를 흔들면서 '계절이 되면 계절이 되면' 노래를 불러요.
③ 처음에 시작하는 사람이 사계절 중 하나를 정해서 말해요.
④ 돌아가면서 '계절'이 되면 '계절의 특징'을 말해요.

26 • 의사소통 한국어 4

1. 기상 현상 • 27

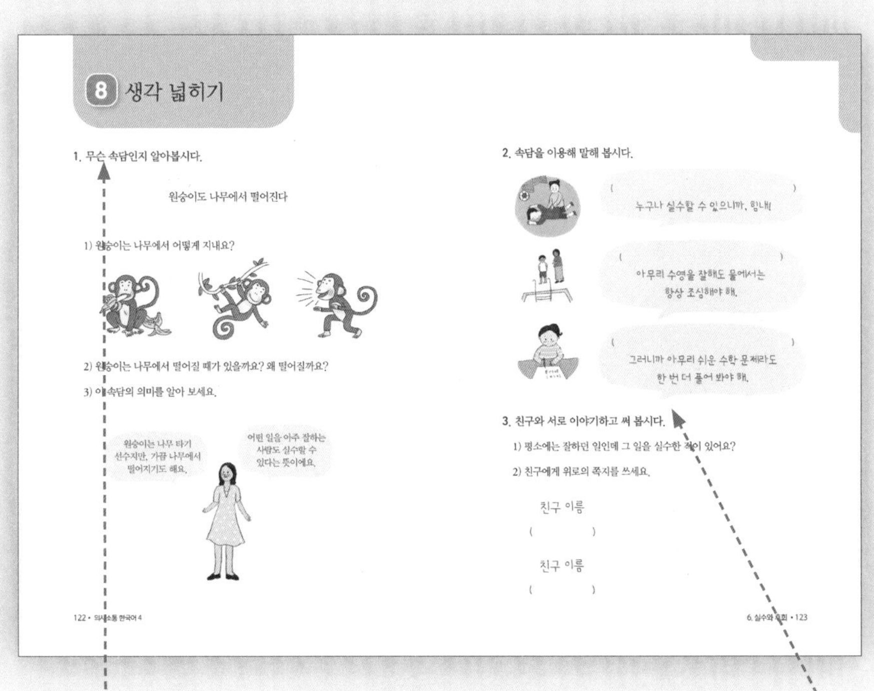

8 생각 넓히기

1. 무슨 속담인지 알아봅시다.

원숭이도 나무에서 떨어진다

1) 원숭이는 나무에서 어떻게 지내요?

2) 원숭이는 나무에서 떨어질 때가 있을까요? 왜 떨어질까요?

3) 이 속담의 의미를 알아 보세요.

2. 속담을 이용해 말해 봅시다.

3. 친구와 서로 이야기하고 써 봅시다.

1) 평소에는 잘하던 일인데 그 일을 실수한 적이 있어요?

2) 친구에게 위로의 쪽지를 쓰세요.

친구 이름
( )

친구 이름
( )

122 • 의사소통 한국어 4

6. 실수와 후회 • 123

문화 학습

전통문화, 생활 문화, 문화 비교, 안전 등 초등학생들이 접할 수 있는 다양한 문화 요소를 다룹니다.

문화 의식

다양한 문화를 존중하는 상호 문화적 관점에서 문화를 학습합니다.

등장인물

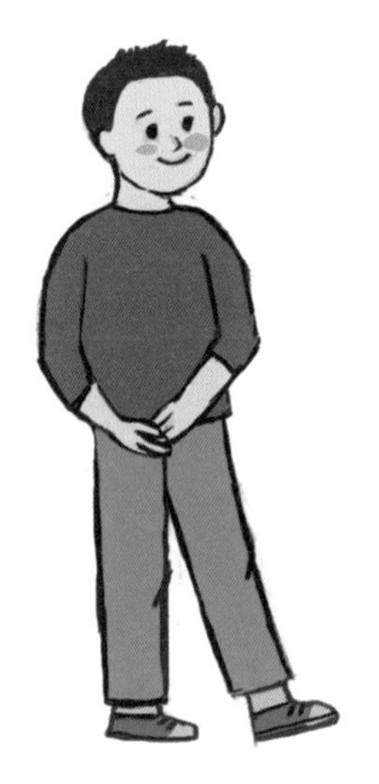

오딜
우즈베키스탄

엠마
독일

자르갈
몽골

안찬원 선생님

강수연 선생님

이 책의 특징

2017 개정 교육과정에 따른《초등학생을 위한 표준 한국어》의 특징은 다음과 같습니다.

첫째, 한국어 능력이 없거나 현저히 부족한 학생이 대상이며, 다양한 수준의 학습자를 고려하여 교재를 모듈화하였습니다. 이 책은 크게 일상생활과 학교생활 적응을 위한 〈의사소통 한국어〉와 교과 학습 적응을 위한 〈학습 도구 한국어〉로 분권하였습니다. 〈의사소통 한국어〉는 저학년용 네 권, 고학년용 네 권으로 1권과 2권은 초급, 3권과 4권은 중급에 해당합니다. 각 권은 목표 어휘와 목표 문법 학습을 위한 필수 차시, 다양한 담화 유형과 듣기·말하기·읽기·쓰기 활동에 통합하여 반복·심화 학습이 이루어지도록 구성한 선택 차시로 구성되었습니다. 〈학습 도구 한국어〉는 교과 학습 적응을 지원할 수 있도록, 초등학교 교육과정의 학년군별 위계화에 따라 1~2학년군용, 3~4학년군용, 5~6학년군용 모두 세 권으로 분권하였습니다. 3권, 4권 학습자 중 학습 이해도가 빨라 선택 차시의 학습이 불필요한 경우에는 〈학습 도구 한국어〉의 해당 단원을 선택하여 학습할 수 있습니다.

둘째, 대상 학습자의 인지 발달 수준과 언어 경험 수준을 고려하여 교수요목을 재정비하였습니다. 학습자 개인에서 주변·사회로, 구체적인 경험에서 추상적인 경험으로 학습 주제와 내용을 확장하였고, 그와 관련된 핵심 어휘와 문법을 선정하여 교수·학습 내용으로 제시하였습니다.

셋째, 초등 학습 단계가 구체적 조작기임을 고려하여, 목표 어휘와 목표 문법을 추상적인 언어로 설명하는 방식이 아니라, 구체적이고 실제적인 한국어 활동의 장면을 이미지화하여 이를 통하여 교수·학습함으로써 쉽게 익힐 수 있도록 하였습니다.

넷째, 게임·노래·놀이·퍼즐 맞추기·역할극하기·만화 보기 등 초등학생들의 흥미를 유발할 수 있는 다양한 학습 장치를 활용하여 활동을 구성하였습니다.

다섯째, 필수 차시에서는 목표 어휘와 목표 문법을 듣기·말하기·읽기·쓰기 활동과 통합하여 총체적이고 실제적인 의사소통 능력을 기를 수 있도록 구성하였고, 선택 차시에서는 듣기·말하기·읽기·쓰기 활동이 통합된 특정 담화의 유형 속에서 목표 어휘와 목표 문법을 반복·심화 학습하여 담화의 생산과 수용 능력을 기를 수 있도록 하였습니다.

여섯째, 매 차시 학습 전개 순서를, 학습 내용 확인을 위한 '제시 활동 단계', 확인한 학습 내용을 연습할 수 있는 '연습 활동 단계', 연습한 학습 내용을 일상생활에 적용하고 실천하여 내면화할 수 있는 '적용 활동 단계'로 나누어 구성하였습니다.

일곱째, 〈학습 도구 한국어〉는 수업 장면에서 반복되는 교실 어휘와 각 학년군의 국어·수학·사회·과학 교과서에 반복해서 등장하는 사고 도구 어휘·범용 지식 어휘를 학습 내용으로 선정하고, 그 어휘가 등장하는 수업 장면과 교과서를 활용하여 교수·학습 자료로 구성하였습니다.

여덟째, 〈의사소통 한국어〉나 〈학습 도구 한국어〉에서 연습 활동이 충분히 이루어지지 못한 경우는《초등학생을 위한 표준 한국어 익힘책》에서 보충할 수 있도록 연계하였습니다.

차례

발간사 · · · 4
머리말 · · · 5
일러두기 · · · 6
등장인물 · · · 12

1. 기상 현상 · · · 16
2. 체육 활동 · · · 34
3. 명절과 기념일 · · · 52
4. 모임 활동 · · · 70
5. 친구 관계 · · · 88
6. 실수와 후회 · · · 106
7. 인물 · · · 124
8. 진로 · · · 142

듣기 지문 · · · 160
정답 · · · 166
문법 색인/어휘 색인 · · · 177

선택 1
5 '계절이 되면' 놀이 하기
6 신문 기사 읽기
7 일기 예보 말하기
8 생각 넓히기
필수
1 날씨에 따른 모습
2 계절에 따른 날씨와 생활
3 미세 먼지와 건강한 생활
4 여러 나라의 기후
선택 2
학습 도구
한국어

1

기상 현상

학습 목표

- 날씨와 날씨 때문에 일어난 일을 말할 수 있다.
- 계절과 날씨의 특징을 말할 수 있다.
- 날씨에 따라 조심해야 할 점을 말할 수 있다.

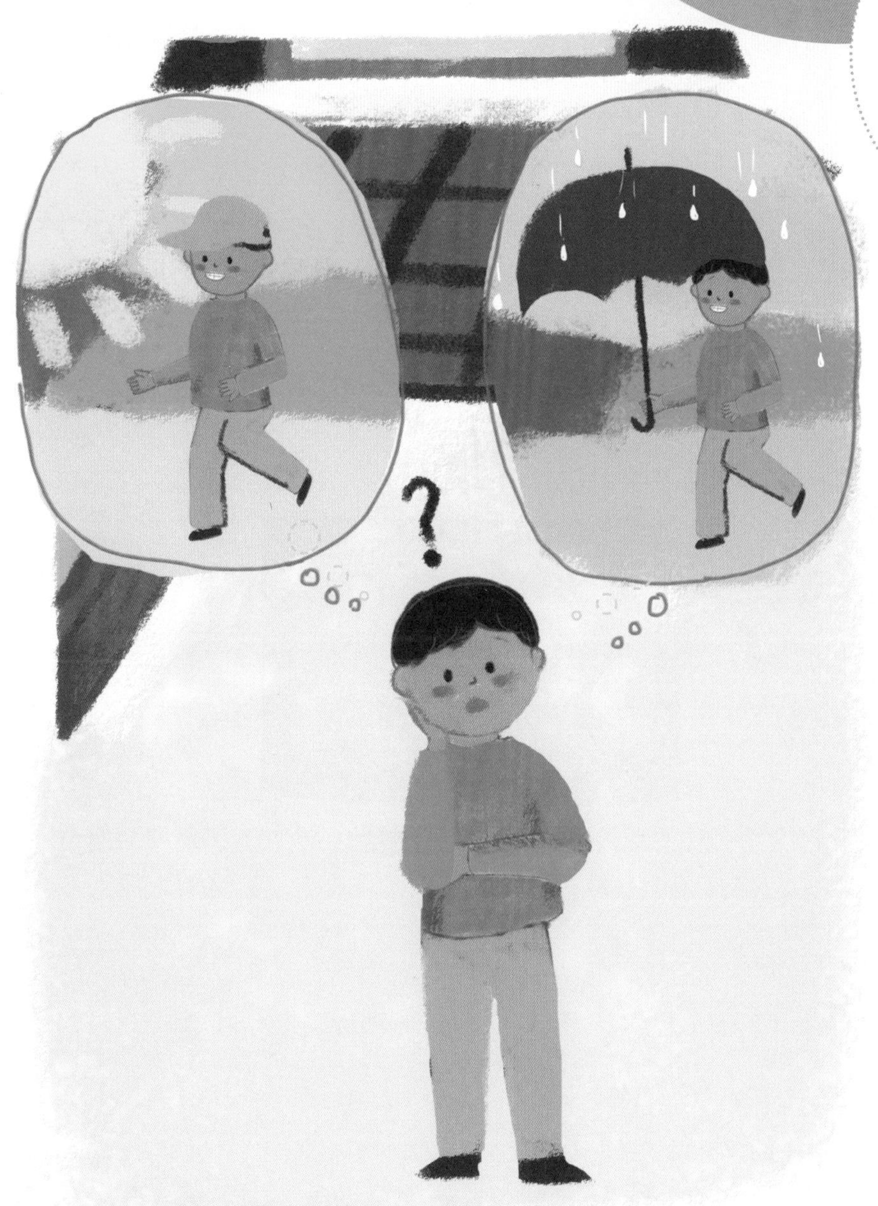

- 내일 날씨를 어떻게 알 수 있어요?
- 계절과 날씨에 따라 주의할 점은 무엇이에요?

1 날씨에 따른 모습

1. 날씨를 나타내는 말입니다. 그림을 보고 말해 봅시다.

1) 날씨가 어때요? 듣고 가리키고 따라 하세요. 1

2) 그림을 가리키며 아래와 같이 친구와 이야기해 보세요.

태풍, 소나기, 쏟아지다, 안개, 끼다, 장마가 지다, 폭설, 덮이다, 산사태, 몰아치다, 불어나다

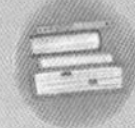

으로 인해

2. 날씨 때문에 일어날 일입니다. 말해 봅시다.

길이 눈으로 덮이다

산사태가 일어나다

비바람이 몰아치다

앞이 잘 안 보이다

강물이 불어나다

1) 무슨 일이 일어났어요? 듣고 가리키고 따라 하세요. 2

2) 날씨 때문에 어떤 일이 일어날지 〈보기〉와 같이 말해 보세요.

〈보기〉  소나기로 인해 산사태가 일어날 수 있어요.

① 장마/강물이 불어나다
② 안개/앞이 안 보이다
③ 폭설/길이 눈으로 덮이다
④ 태풍/비바람이 몰아치다

3. 그림을 가리키며 〈보기〉와 같이 날씨를 말해 봅시다.

〈보기〉

안녕하십니까. 내일 날씨를 말씀드리겠습니다. 내일은 태풍이 오겠습니다. 태풍으로 인해 비바람이 몰아칠 수 있으니 안전에 주의하시길 바랍니다.

① 

② 

2 계절에 따른 날씨와 생활

1. 계절의 특징을 말해 봅시다.

온도가 올라가다

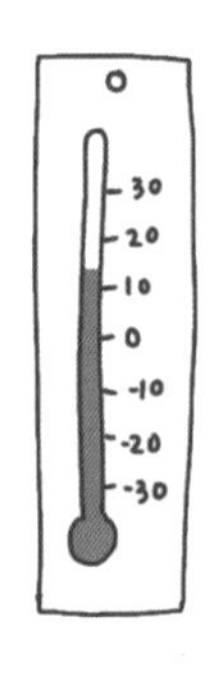

포근하다
졸음이 오다
황사가 심하다
눈이 따갑다

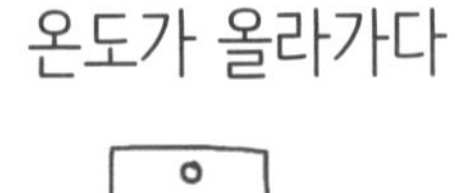

온도가 올라가다

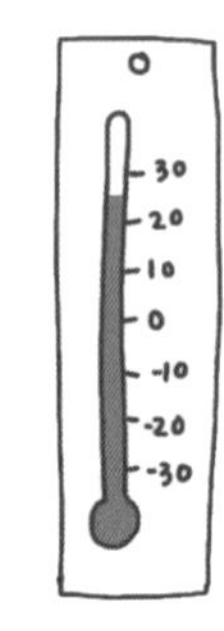

무덥다
더위에 쉽게 지치다
피부가 끈적이다
습하다

온도가 내려가다

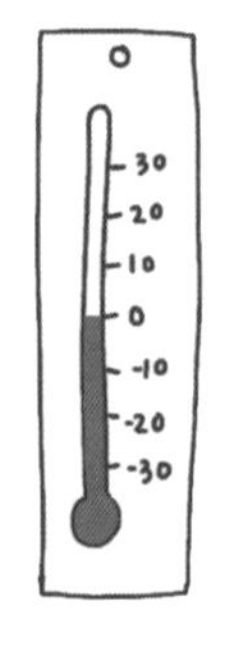

쌀쌀하다
감기 몸살에
걸리기 쉽다

온도가 내려가다

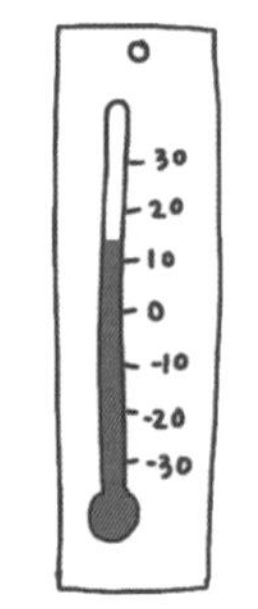

건조하다
산불이 잘 나다

1) 듣고 가리키고 따라 하세요. 3

2) 계절이 바뀌면 어떻게 되는지 아래와 같이 말해 보세요.

봄에서 여름이 되면
온도가 올라가게 돼요.

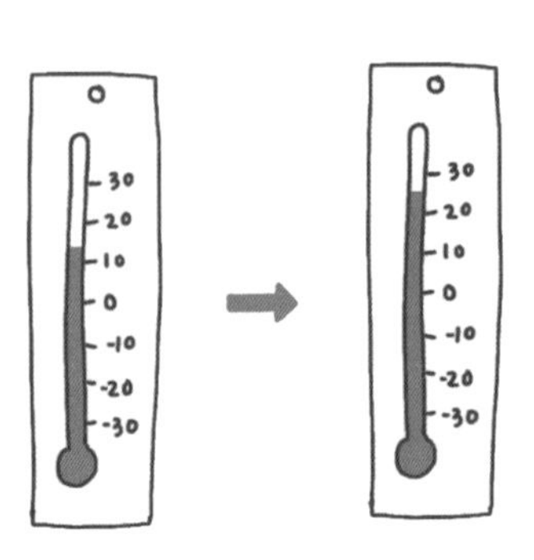

포근하다, 졸음, 황사, 따갑다, 무덥다, 더위, 습하다, 끈적이다, 건조하다, 산불, 쌀쌀하다, 감기 몸살

-을수록, -게 되다

2. 그림을 연결하고 써 봅시다.

1) 같은 계절끼리 연결해 보세요.

2) 연결한 내용을 보고 〈보기〉와 같이 써 보세요.

〈보기〉 황사가 심하다 + 눈이 따갑다 ➡ 황사가 심할수록 눈이 따갑게 돼요.

- ______________________________
- ______________________________

3. 계절에 따른 날씨와 특징에 대해 이야기해 봅시다.

1) 어느 계절의 특징이에요? 듣고 계절을 써 보세요. 4

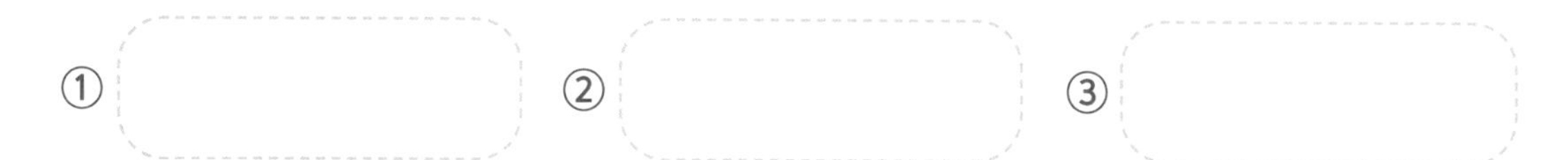

2) 아래와 같이 친구와 이야기해 보세요.

여름이 될수록 무더워져.

맞아. 무더울수록 더위에 쉽게 지치게 돼.

3 미세 먼지와 건강한 생활

1. 신문 기사를 읽고 질문에 답해 봅시다.

1) 읽어 보세요.

건강을 위협하는 미세 먼지, 이렇게 행동해요

미세 먼지 문제가 심각하다. 미세 먼지는 크기가 매우 작은 먼지를 말한다. 오랫동안 미세 먼지를 마시면 감기, 피부병이나 눈병과 같은 질병에 걸릴 수 있다.

기상청은 미세 먼지로부터 우리 몸을 지키기 위한 방법들을 발표했다. 첫째, 가능하면 실내에서 지내야 한다. 둘째, 집이나 교실의 창문을 닫는다. 셋째, 바깥으로 나갈 때에는 반드시 마스크를 쓰도록 한다. 넷째, 차가 많이 다니는 도로나 공사장 주변을 피하도록 한다. 다섯째, 외출 후 집으로 돌아오면 깨끗하게 씻는다.

미세 먼지 문제는 점점 심해질 것이다. 건강한 생활을 위해서라도 이와 같은 방법을 꼭 지키도록 하자.

2) 미세 먼지는 무엇인지 찾아 써 보세요.

미세 먼지는 --.

3) 미세 먼지를 마시면 어떤 일이 생기는지 말해 보세요.

미세 먼지, 심각하다, 눈병, 피부병, 질병, 기상청, 실내, 마스크, 외출, 심해지다

-도록 하다

2. 미세 먼지에 따른 대처 방안을 말해 봅시다.

1) 어울리는 말을 찾아 연결해 보세요.

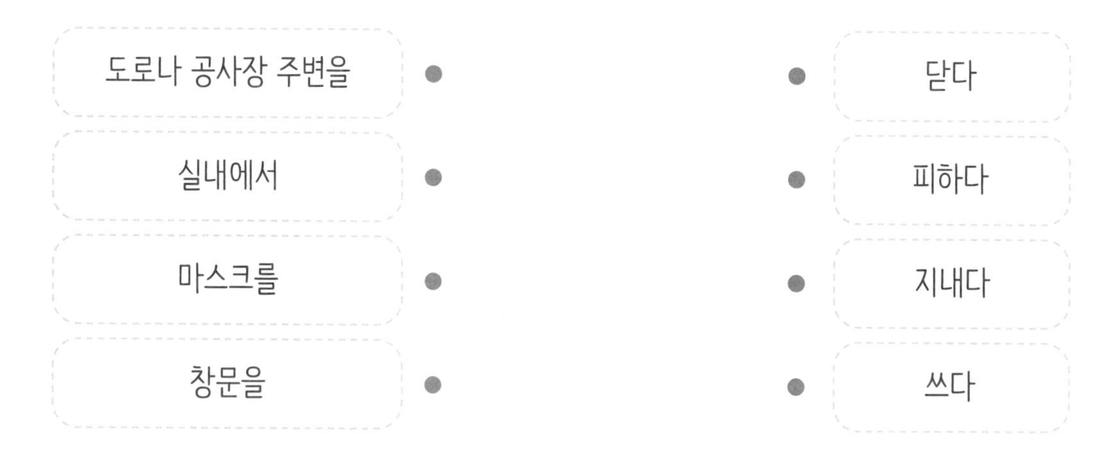

도로나 공사장 주변을	닫다
실내에서	피하다
마스크를	지내다
창문을	쓰다

2) 〈보기〉와 같이 주의할 점을 써 보세요.

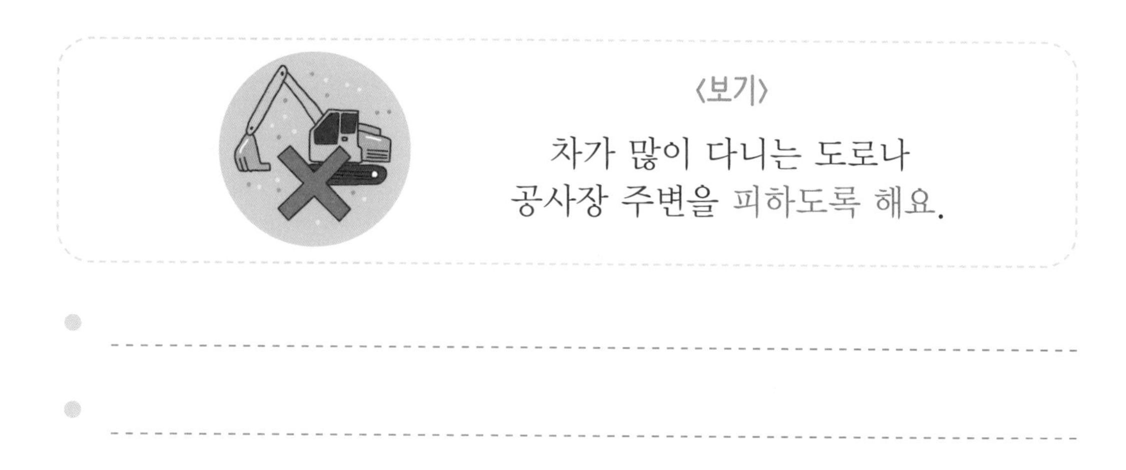

〈보기〉
차가 많이 다니는 도로나
공사장 주변을 피하도록 해요.

- ______________________________
- ______________________________

3. 날씨에 따라 조심해야 할 점을 친구와 이야기해 봅시다.

4 여러 나라의 기후

1. 여러 나라의 기후와 그 특징을 말해 봅시다.

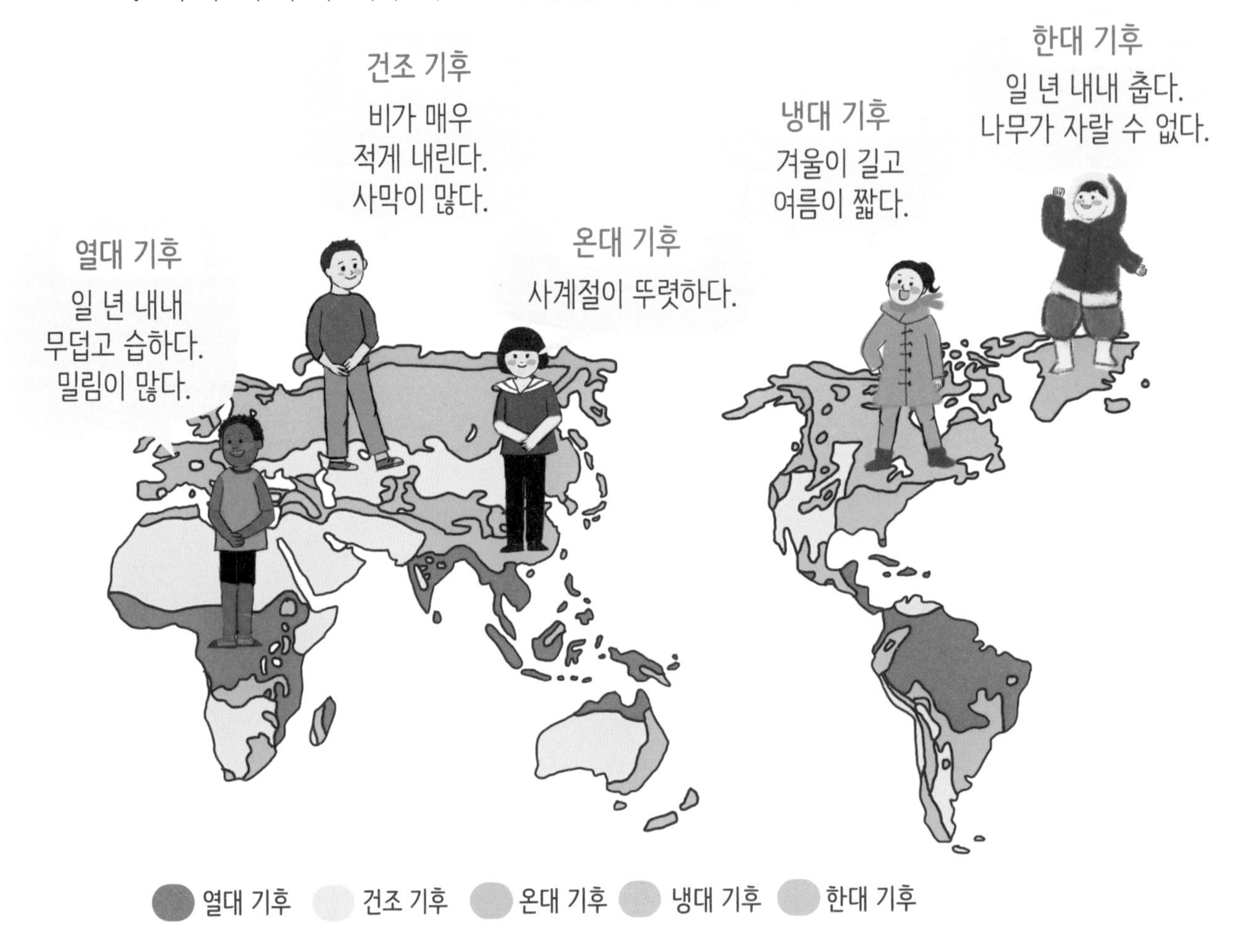

1) 무슨 기후가 있어요? 가리키고 말해 보세요.

2) 아래와 같이 기후와 날씨에 대해 말해 보세요.

기후, 한대, 냉대, 온대, 건조, 열대, 사계절, 사막, 밀림

2. 기후와 그 특징을 연결하여 말해 봅시다.

1) 관계있는 것끼리 연결해 보세요.

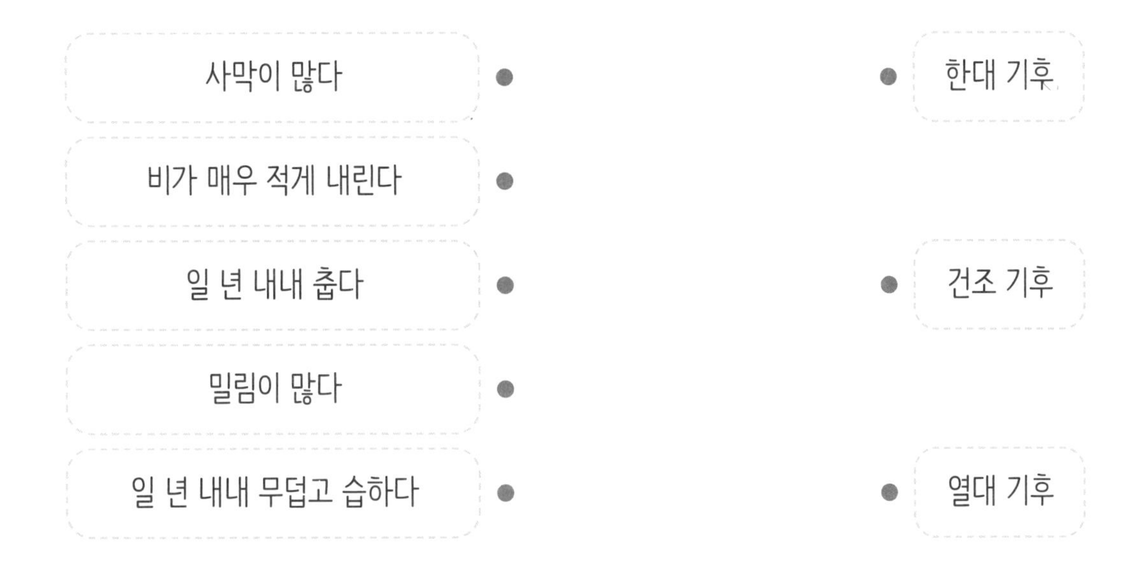

2) 연결한 내용을 보고 〈보기〉와 같이 말해 보세요.

〈보기〉

한대 기후는 일 년 내내 추워요.

일 년 내내 추우면 나무가
자랄 수 없어요.

3. 나라를 가리키고 기후의 특징에 대해 말해 봅시다.

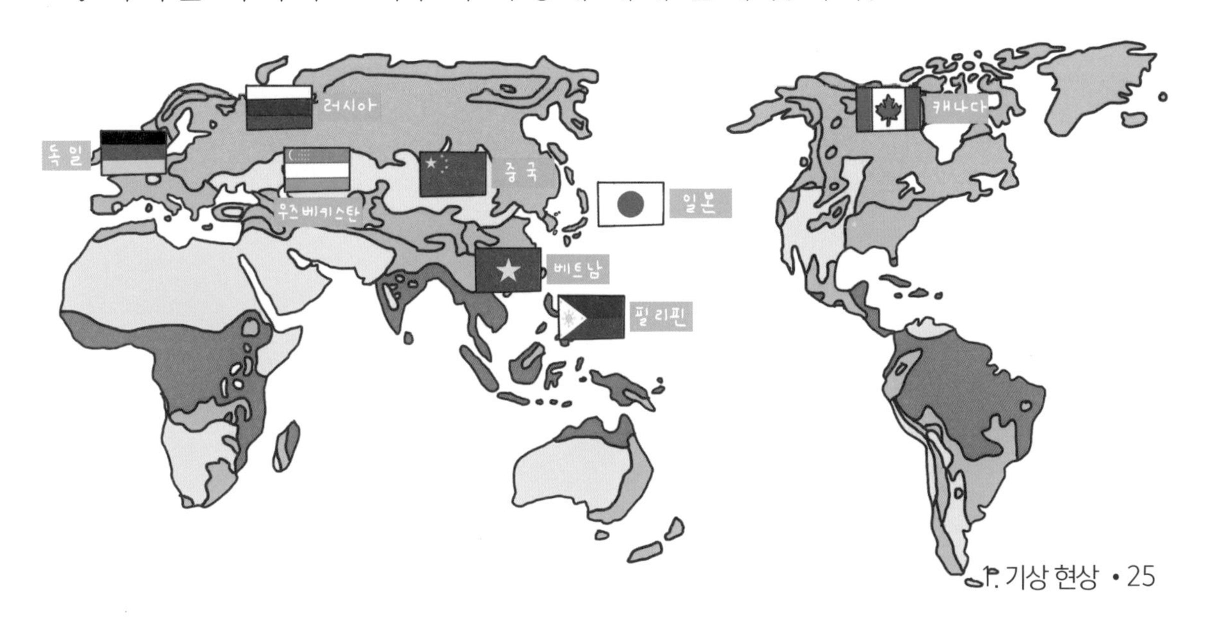

5 '계절이 되면' 놀이 하기

1. 계절과 날씨에 알맞은 행동을 말해 봅시다.

1) 듣고 빈칸에 알맞은 말을 써 보세요. 5

2) 낱말을 사용하여 〈보기〉처럼 말해 보세요.

2. '계절이 되면' 놀이를 해 봅시다.

〈놀이 방법〉

① 계절에 따른 여러 모습을 생각해요.
② 다 함께 팔꿈치를 흔들면서 '계절이 되면 계절이 되면' 노래를 불러요.
③ 처음에 시작하는 사람이 사계절 중 하나를 정해서 말해요.
④ 돌아가면서 '계절'이 되면 '계절의 특징'을 말해요.

6 신문 기사 읽기

1. 신문 기사를 읽고 질문에 답해 봅시다.

1) 읽어 보세요.

날씨 문제 해결하는 '착한 태풍'

태풍은 해마다 많은 비와 거센 바람으로 사람들에게 큰 피해를 준다. 그런데 태풍은 나쁘기만 할까? 지구는 태양의 뜨거운 열을 받는다. 지역에 따라 태양열을 많이 받는 곳도 있고 적게 받는 곳도 있다. 이 차이 때문에 어디는 한없이 더워지고 어디는 한없이 추워진다.

이런 골치 아픈 문제를 해결하는 것이 바로 태풍이다. 태풍은 첫째, 지구의 열이 골고루 퍼질 수 있게 돕는다. 더운 지역에서 만들어진 태풍이 점차 추운 지역으로 이동하기 때문이다. 둘째, 건조한 날씨에 큰 도움이 된다. 태풍이 많은 비를 품고 있기 때문이다. 셋째, 오염된 공기를 맑은 공기로 바꿔 준다. 태풍의 거센 바람이 오염된 공기를 날려 보내기 때문이다.

태풍은 항상 피해만 준다고 할 수 없다. 태풍 역시 날씨 문제를 해결하는 중요한 역할을 맡고 있는 것이다.

2) 맞으면 ○, 틀리면 ×표시를 해 보세요.

- 지구는 태양의 열을 골고루 받지 않는다. (　　　)
- 태풍은 우리에게 항상 피해를 가져다준다. (　　　)

3) 빈칸에 알맞은 말을 찾아서 써 보세요.

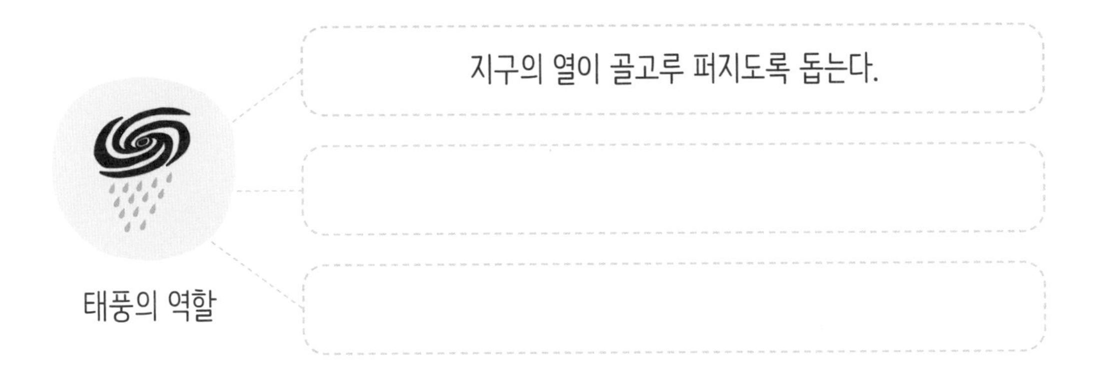

2. 태풍의 역할을 다음과 같이 간단히 요약해 봅시다.

1) 관계있는 것끼리 연결해 보세요.

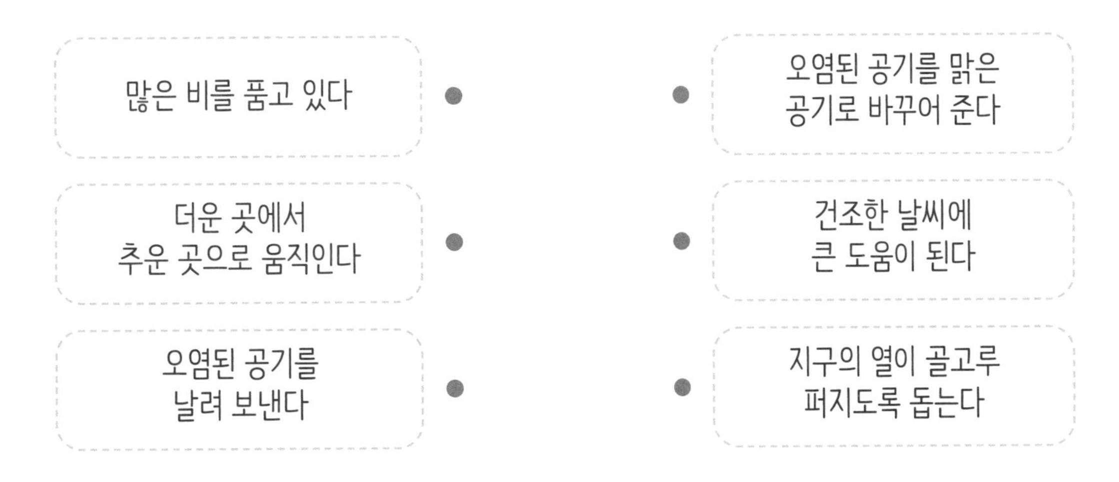

2) 태풍의 역할에 대해 말해 보세요.

태풍은 여러 가지 일을 해요. 태풍은 많은 비를 품고 있어요. 그래서 태풍은 건조한 날씨에 큰 도움이 돼요. 또…….

7 일기 예보 말하기

1. 일기 예보를 듣고 질문에 답해 봅시다.

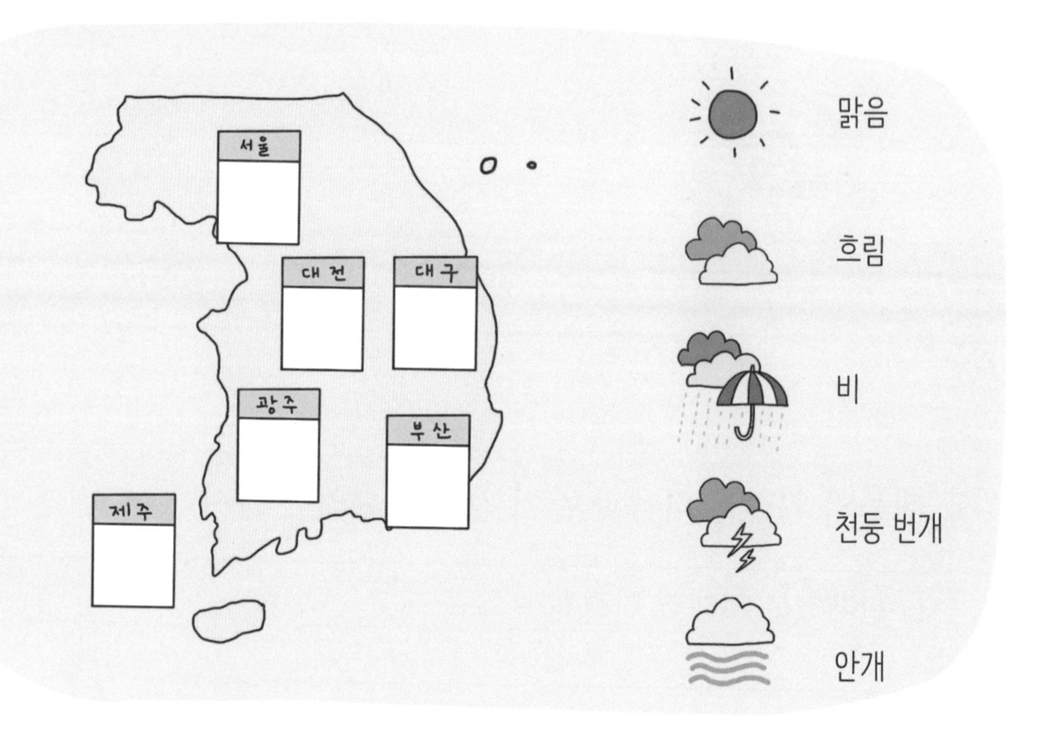

1) 그림을 가리키며 날씨를 말해 보세요.

2) 듣고 지도의 빈칸에 날씨를 써 보세요. 6

3) 다시 듣고 아래의 빈칸에 알맞은 말을 쓰세요.

장마가 몰려오고 있습니다.
제주는 ( )와/과 함께 소나기가 내리겠습니다.
광주와 부산도 하루 종일 ( )이/가 내리겠습니다.
대구는 아침부터 ( ). 대전은 구름이 많아
( ). 서울은 ( ).
지금까지 날씨를 전해 드렸습니다.

2. 그림을 보며 일기 예보를 써 봅시다.

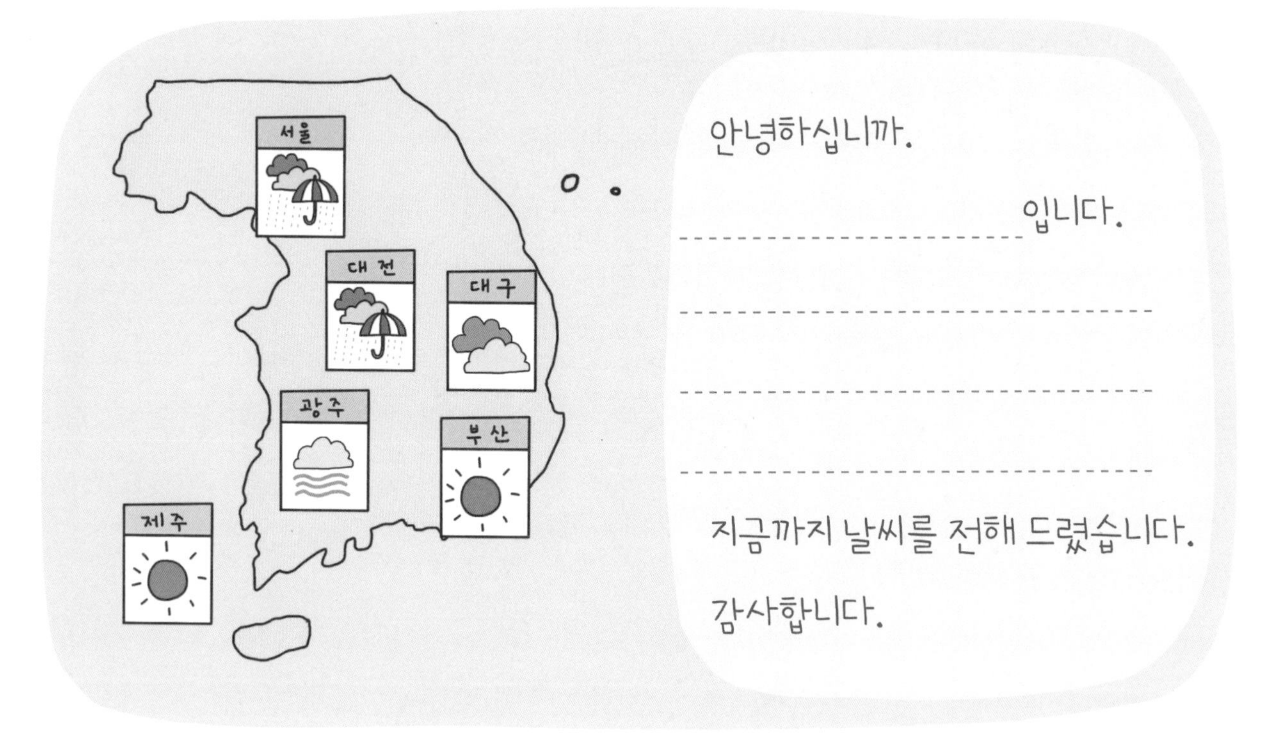

3. 쓴 내용을 발표해 봅시다.

8 생각 넓히기

1. 장마철에 일어나는 일을 말해 봅시다.

1) 장마철 날씨는 어떤지 말해 보세요.

2) 장마로 인해 일어나는 일을 연결해 보세요.

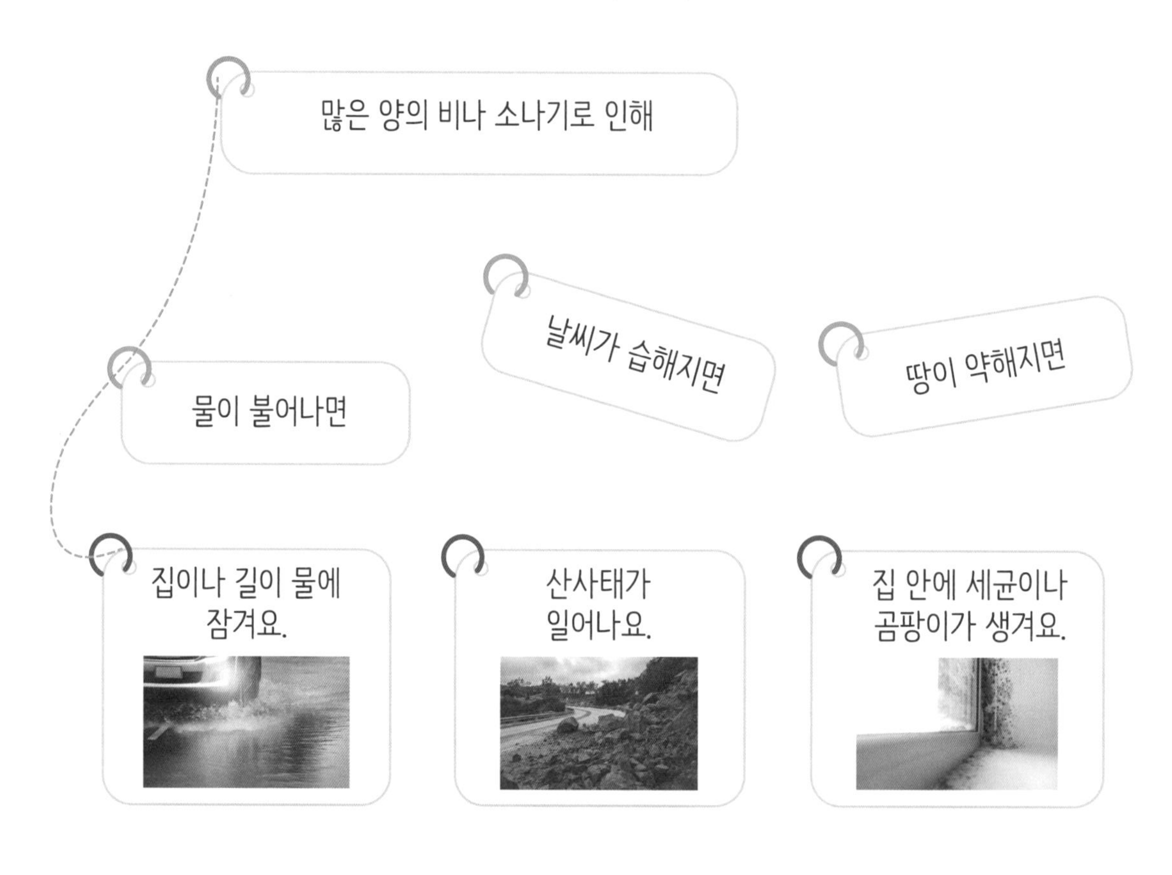

3) 연결한 내용을 보고 말해요.

많은 양의 비나 소나기로 인해 물이 불어나면 집이나 길이 물에 잠겨요.

2. 장마 피해를 막기 위한 방법을 말해 봅시다.

1) 〈보기〉에서 알맞은 낱말을 찾아 빈칸에 써 보세요.

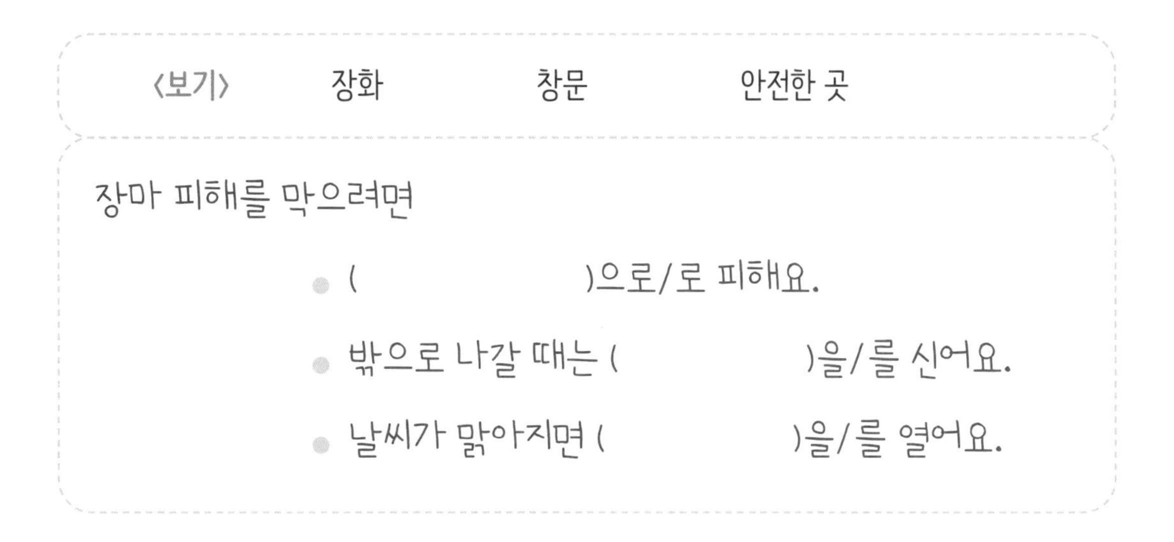
〈보기〉 장화 창문 안전한 곳

장마 피해를 막으려면

- (   )으로/로 피해요.
- 밖으로 나갈 때는 (   )을/를 신어요.
- 날씨가 맑아지면 (   )을/를 열어요.

2) 장마철에 일어나는 일과 피해를 막는 방법을 찾아 쓰세요.

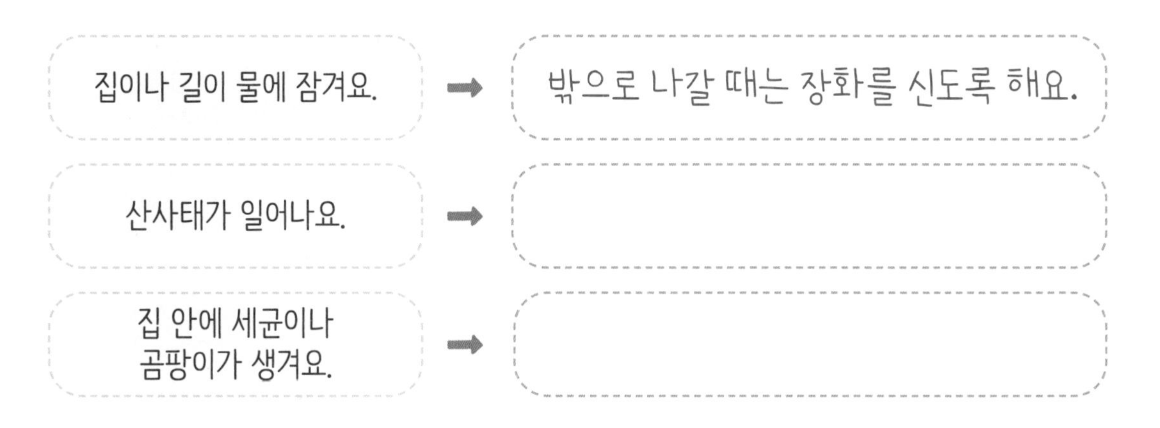

집이나 길이 물에 잠겨요.	➡	밖으로 나갈 때는 장화를 신도록 해요.
산사태가 일어나요.	➡	
집 안에 세균이나 곰팡이가 생겨요.	➡	

3) 쓴 내용을 보고 말해 보세요.

장마철에는 길이 물에 잠길 수 있어요. 밖으로 나갈 때는 장화를 신도록 해요.

선택 1
5 '몸으로 말해요' 놀이 하기
6 이야기 말하기
7 일기 쓰기
8 생각 넓히기
필수
1 친구와 함께 하는 운동
2 운동회에서 겪은 일
3 운동 약속
4 가족과 함께 간 등산
선택 2
학습 도구
한국어

2

체육 활동

학습 목표

- 친구와 역할을 나누는 말을 할 수 있다.
- 운동한 경험을 이야기할 수 있다.
- 운동 약속을 정할 수 있다.

- 이 물건의 이름이 뭐예요?
- 무슨 운동을 할 때 써요?

1 친구와 함께 하는 운동

1. 친구들이 역할을 정해서 운동합니다. 그림을 보며 말해 봅시다.

1) 무슨 운동인지 〈보기〉에서 찾아 쓰세요.

〈보기〉 줄넘기 축구 농구

2) 듣고 무슨 운동인지 써 보세요. 7

① ② ③

축구, 차다, 막다, 줄넘기, 돌리다, 넘다, 피구, 던지다, 피하다, 농구, 튀기다, 뺏다

-을 테니까

3) 그림을 가리키며 어떻게 하는 운동인지 말해 보세요.

공을 발로 차는 운동이야.

발로 찬 공을 손으로 막아야 해.

2. 〈보기〉와 같이 이어서 말해 봅시다.

〈보기〉 내가 공을 막을게. 너는 공을 찰래?

➡ 내가 공을 막을 테니까 너는 공을 찰래?

① 내가 줄을 돌릴게. 너는 줄을 넘을래?

② 내가 막대를 세울게. 너는 공을 굴릴래?

③ 내가 공을 튀길게. 너는 공을 뺏을래?

④ 내가 공을 던질게. 너는 공을 피할래?

3. 친구와 함께 역할을 정해서 운동을 해 봅시다.

줄은 누가 돌리지?

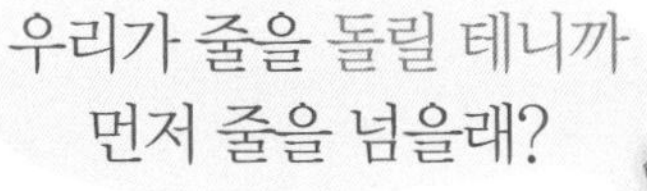

그래, 고마워.

➡

나는 줄을 넘고 싶어.

2 운동회에서 겪은 일

1. 나래초등학교 운동회가 열렸습니다. 그림을 보며 말해 봅시다.

1) 듣고 따라 하세요. 8

운동회, 콩 주머니, 기마전, 이어달리기, 줄다리기, 응원하기, 응원하다, 잡아당기다, 등에 업다, 결승점, 쉬다

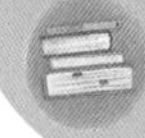
-었더니

2) 누가 무엇을 하고 있어요?
가리키며 말해 보세요.

타이선이 콩 주머니를 던지고 있어요.

2. 운동회를 마치고 어디가 아픈지 말해 봅시다.

1) 운동회에서 한 일과 아픈 곳을 연결해 보세요.

목이 쉬다	손목이 아프다	어깨가 아프다	팔이 아프다	다리가 아프다

2) 운동회에서 겪은 일을 〈보기〉처럼 말해 보세요.

〈보기〉

3. 무리해서 운동을 하다가 아팠던 적이 있나요? 친구와 이야기해 봅시다.

3 운동 약속

1. 엠마와 친구들이 문자 메시지를 주고받았습니다. 읽고 물음에 답해 봅시다.

1) 누가 무엇을 하고 싶어 하는지 말해 보세요.

2) 언제, 무엇을 하기로 결정했는지 써 보세요.

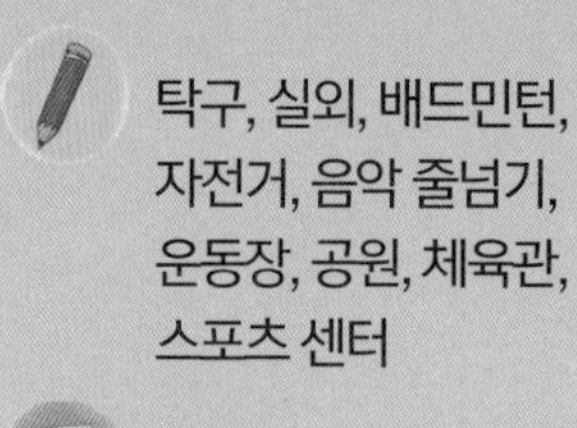
탁구, 실외, 배드민턴,
자전거, 음악 줄넘기,
운동장, 공원, 체육관,
스포츠 센터

대신에

2. 친구와 함께 하는 운동입니다. 이야기해 봅시다.

1) 어디에서 무슨 운동을 해요? 가리키고 말해 보세요.

2) 〈보기〉와 같이 쪽지를 쓰고 이야기해 보세요.

3. 친구와 쪽지로 주말 운동 약속을 해 봅시다.

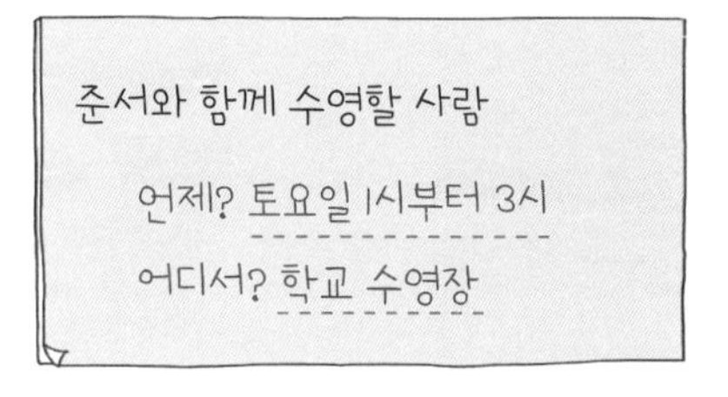

이런! 약속이 있어.
토요일 대신에
일요일은 어때?
-빈센트

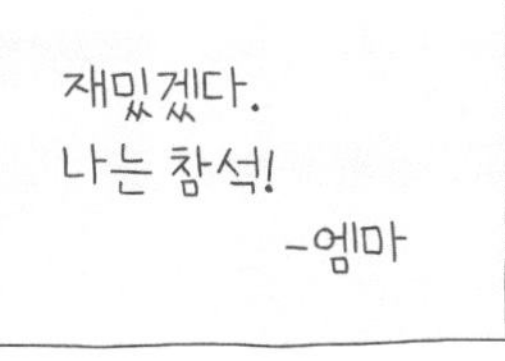

4 가족과 함께 간 등산

1. 빈센트가 일기를 쓰다 잠이 들었습니다. 글을 읽고 물음에 답해 봅시다.

20○○년 ○월 ○일 토요일 날씨: 조금 흐림

오늘은 가족 등산을 했다. 나는 일찍 일어나서 씻고 거실로 나갔다. 부모님은 벌써 나갈 준비를 마치셨다.

"빈센트, 엄마가 동생을 챙길 테니까 아빠를 도와주겠니?"

나는 아빠를 도와 차에 배낭을 실었다.

차를 타고 목적지인 문수산에 도착했다. 우리 가족은 주차장 옆길을 가볍게 걸으며 준비 운동을 했다. 주차장을 떠나 등산로를 걷기 시작했다. 가파른 길을 지나 전망대에 도착했다. 전망대에서 경치를 봤더니 저 멀리 크고 긴 다리가 보였다. 쉼터를 지나 문수사에 왔다. 동생이 발바닥이 아프다고 했다. 어린 동생에게는 힘든 등산길이었나 보다. 나도 오랫동안 걸었더니 다리가 아팠다. 동생의 배낭을 대신 메고 산을 내려왔다. 어머니는 기특하다며 나를 칭찬해 주셨다. 주차장에 돌아와 차에 올라탔…….

1) 듣고 읽은 내용과 맞으면 ○, 틀리면 X표 해 보세요. 9

① ② ③

2) 빈센트 가족이 한 일을 위의 등산로 위에 붙여 보세요. 붙임 딱지

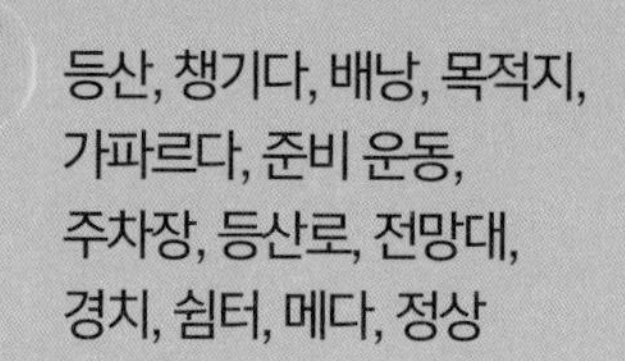

2. 빈센트가 쓴 글을 마무리 지어 봅시다.

1) 글을 어떻게 이어 썼나요? 빈칸에 알맞은 말을 써 보세요.

전망대에서 경치를 봤다. ✚ 저 멀리 크고 긴 다리가 보였다.

➡ --

2) 밑줄 그은 부분을 이어 써 보세요.

주차장에 돌아와 차에 올라탔다. 나도 모르게 잠이 왔다.
매우 힘들었다. 다음에는 꼭 정상까지 올라가야지.

➡ --

3. 〈보기〉와 같이 가족과 함께 운동한 일을 써 봅시다.

〈보기〉

오빠와 함께 엄마를 따라 동네 공원에 갔다. 공원에 도착했더니 많은 사람들이 공원에서 운동을 하고 있었다. 배드민턴 치는 법도 배우고 오빠랑 시합도 했다.

다음에는 친구와 함께 공원에 가서 배드민턴을 쳐야겠다.

5 '몸으로 말해요' 놀이 하기

1. 운동 중에 일어난 일에 대해 말해 봅시다.

1) 듣고 무슨 운동인지 번호를 써 보세요. 10

2) 운동 중에 일어난 일과 친구에게 해 줄 수 있는 말을 연결해 보세요.

3) 연결한 내용을 보고 〈보기〉와 같이 말해 보세요.

〈보기〉

2. '몸으로 말해요' 놀이를 해 봅시다.

〈놀이 방법〉

① 편을 나누어 각각 한 줄로 서세요.
② 맨 끝 친구만 뒤로 돌아서 '운동' 낱말을 보세요.
③ 앞 친구에게 몸으로 '운동'을 설명하세요.
④ 같은 방법으로 앞 친구에게 몸으로 '운동'을 전달하세요.
⑤ 맨 앞 친구가 칠판으로 나와서 '운동' 낱말을 쓰세요.

6 이야기 말하기

1. 이야기 카드가 섞여 있습니다. 그림을 보고 질문에 답해 봅시다.

1) 어떤 장면이에요? 그림을 보고 말해 보세요.

2) 그림을 보고 무슨 일이 있었는지 상상해서 이야기해 보세요.

2. 1의 그림을 생각하며 다음 글을 읽고 질문에 답해 봅시다.

다니엘이 저를 보고 말했어요.
"내가 뒤에서 잡아 줄 (   ) 다시 타 볼래?" 다니엘이 자전거를 뒤에서 잡아 주었어요. 다니엘 덕분에 자전거를 타기가 조금 쉬워졌어요.

"으악! 넘어질 것 같아."
자전거를 처음 타 보았어요.
자전거가 비틀비틀 넘어질 것 같았어요.
자전거 타기는 정말 힘들어요.
그런데 다니엘을 만났어요.

"생일 선물로 인라인스케이트는 어떠니?" "아빠, 인라인스케이트 (   ) 자전거를 갖고 싶어요." 아버지께서 생일 선물로 자전거를 사 주셨어요.
빨간색 자전거는 정말 예뻤어요.

"어때? 이제는 어렵지 않지?"
"응. 정말 고마워, 다니엘."
이제는 자전거 타기가 참 재미있어요.
내일도 다니엘이랑 자전거를 타고 싶어요.

1) 이야기 순서에 맞게 번호를 써 보세요.

2) 빈칸에 알맞은 말을 써 보세요.

3) 밑줄 그은 부분을 이어서 써 보세요.

자전거를 처음 타 보았어요. + 자전거가 비틀비틀 넘어질 것 같았어요.

➡ --

3. 처음 운동했던 경험을 친구와 이야기해 봅시다.

내가 처음으로 수영을 했을 때…….

7 일기 쓰기

1. 빈센트가 쓴 쪽지를 읽어 봅시다.

안녕, 얘들아. 혹시 토요일에 시간 되니?
토요일 오후 2시부터 학교 운동장에서
축구를 하려고 해.
나랑 같이 축구할 사람?

축구하자!

시간: 토요일 오후 2시
장소: 학교 운동장

-빈센트

1) 빈센트가 언제, 어디서, 무엇을 하고 싶어 하는지 말해 보세요.

2) 장위의 생각을 읽고 빈센트처럼 쪽지로 써 보세요.

친구들 안녕! 이어달리기 연습을
함께 할 친구를 찾고 있어.
혹시 일요일에 시간 있는 사람?
일요일 오전 10시부터 운동장에서
연습하려고 해.

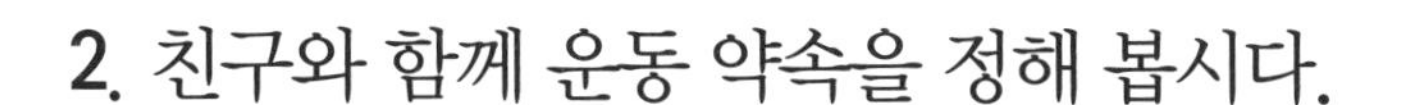

2. 친구와 함께 운동 약속을 정해 봅시다.

1) 쪽지를 써서 학급 게시판에 붙여 보세요.

2) 친구가 붙인 쪽지를 읽고 함께 하고 싶은 운동을 골라 표시해 보세요.

3. 친구와 함께 운동을 하고 일기를 써 봅시다.

8 생각 넓히기

1. 전통 놀이입니다. 이야기해 봅시다.

1) 무엇을 가지고 하는 놀이예요? 연결해 보세요.

2) 전통 놀이를 해 본 적이 있어요? 친구와 이야기해 보세요.

2. 그림을 보며 딱지를 접어 봅시다.

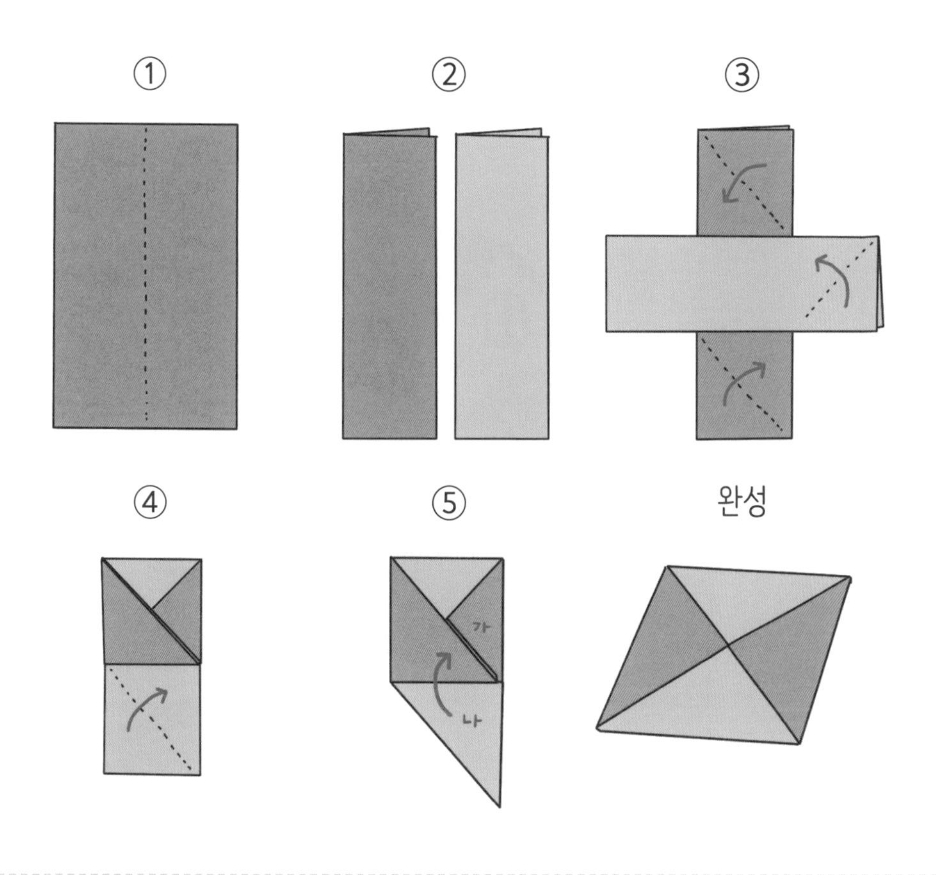

〈놀이 방법〉

① 종이를 반으로 접습니다.
② 반으로 접은 종이를 두 개 만듭니다.
③ 접은 두 개의 종이를 겹치게 놓습니다.
④ 점선을 따라 접습니다.
⑤ '나'를 '가'의 구멍 밑으로 끼웁니다.

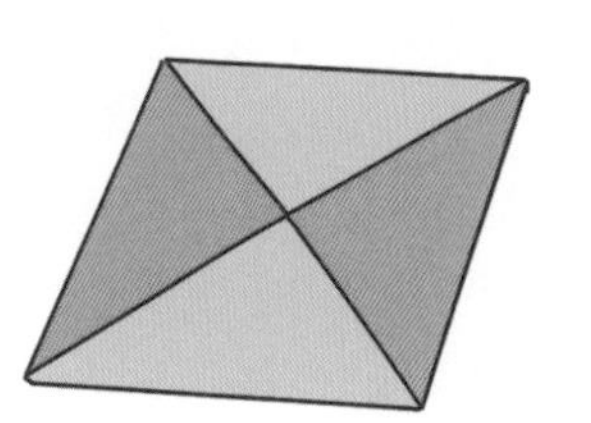

3. 친구와 딱지치기 놀이를 해 봅시다.

선택 1
5 '접어!' 놀이 하기
6 기행문 읽기
7 설명하는 글 쓰기
8 생각 넓히기
필수
1 설날의 모습
2 추석의 풍습
3 기념일에 하고 싶은 일
4 국경일에 찾아간 곳
선택 2
학습 도구
한국어

3
명절과 기념일

학습 목표
- 명절과 기념일에 하는 일을 말할 수 있다.
- 명절과 기념일에 한 일을 이야기할 수 있다.

- 무슨 명절과 기념일이 떠올라요?
- 명절과 기념일에는 무엇을 해요?

1 설날의 모습

1. 설날의 모습입니다. 보고 이야기해 봅시다.

사람들이 상가 마을에서
한복을 입고 다녀.

1) 누가 어디서 무엇을 하고 있어요? 친구와 말해 보세요.

2) 그림과 비슷한 일을 해 본 적이 있는지 이야기해 보세요.

그네, 널뛰기, 연, 한복,
윷놀이, 떡국, 차례를 지내다,
새해 인사, 설날

-더라

2. 그림을 보고 질문에 답해 봅시다.

1) 듣고 알맞은 번호를 써 보세요. 11

2) 그림을 가리키며 아래와 같이 말해 보세요.

3. 설날에 하고 싶은 일과 그 까닭을 이야기해 봅시다.

2 추석의 풍습

1. 추석의 풍습입니다. 글을 읽고 질문에 답해 봅시다.

추석은 설날과 더불어 한국의 가장 큰 명절 중의 하나입니다. 추석은 가을에 수확한 곡식에 대해 감사하는 날인데 그 곡식으로 음식을 만들어 조상에게 차례를 지냅니다. 또 조상의 산소를 찾아가 성묘를 합니다.

추석에는 다양한 풍습이 있습니다. 먼저 음식과 관련된 풍습이 있습니다. 추석에는 송편을 빚는데 쌀가루를 반죽하여 둥글게 빚습니다.

놀이와 관련된 풍습으로는 씨름이 있습니다. 씨름은 두 사람이 서로 힘을 겨루는 놀이인데 모래판 위에 상대를 먼저 쓰러뜨리는 쪽이 이깁니다.

이처럼 추석에는 음식을 만들어 먹고 놀이도 즐깁니다. 이러한 풍습은 가족, 친척, 마을 사람들을 하나로 묶어 줍니다.

추석, 명절, 곡식, 수확하다, 조상, 산소, 성묘, 풍습, 송편, 빚다, 씨름, 겨루다

-는데

1) 알맞은 말을 〈보기〉에서 찾아 빈칸에 써 보세요.

〈보기〉
- 곡식을 수확하다
- 씨름을 하다
- 차례를 지내다
- 송편을 빚다
- 성묘를 하다

2) 글을 다시 읽고 추석은 어떤 날인지 말해 보세요.

2. 추석의 풍습을 아래와 같이 이어 써 봅시다.

추석에는 씨름을 합니다. + 씨름은 두 사람이 모래판 위에서 서로 힘을 겨루는 놀이입니다.

➡ 추석에는 씨름을 하는데 씨름은 두 사람이 모래판 위에서 서로 힘을 겨루는 놀이입니다.

추석에는 송편을 빚습니다. + 송편은 쌀가루로 둥글게 만듭니다.

➡ ______

추석에는 조상에게 차례를 지냅니다. + 차례는 조상에게 감사하는 마음을 표현하는 풍습입니다.

➡ ______

3. 추석의 풍습에 대해 이야기해 봅시다.

추석은 무슨 날이에요?	추석에는 무엇을 먹어요?
추석에는 무엇을 하고 놀아요?	또 어떤 일을 해요?

3 기념일에 하고 싶은 일

1. 기념일에 하는 일에 대해 친구와 이야기해 봅시다.

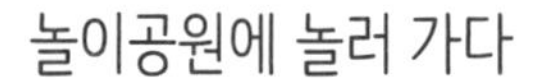

놀이공원에 놀러 가다

기념 선물을 받다

체육 대회에 참가하다

체험 학습을 가다

1) 무슨 기념일인지 말해 보세요.

2) 기념일에 무엇을 하는지 말해 보세요.

어린이날

- 5월 -
일 월 화 수 목 금 토
1 2 3 4
5 6 7 8 9 10 11
12 13 14 15 16 17 18
19 20 21 22 23 24 25
26 27 28 29 30 31

어린이날에는 놀이공원에 가요.

어버이날에는 집안일을 도와요.

어버이날

2. 듣고 이야기해 봅시다.

1) 잘 듣고 오딜이 올해 하고 싶은 일을 말해 보세요. 12

어린이날, 어버이날, 놀이공원, 기념, 체육 대회, 체험 학습, 집안일

-곤 하다

집안일을 돕다

노래를 불러 드리다

감사 편지를 쓰다

카네이션을 접어서 드리다

2) 〈보기〉를 이용하여 짝과 아래와 같이 이야기해 보세요.

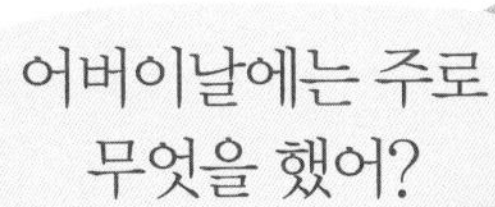

〈보기〉
① 어린이날/체육 대회에 참가하다/체험 학습을 가다
② 어버이날/집안일을 돕다/카네이션을 접어서 드리다
③ 어버이날/노래를 불러 드리다/감사 편지를 쓰다

3. 기념일에 하고 싶은 일을 써 봅시다.

곧 어버이날이다. 부모님께 고마운 마음을 표현하고 싶은데 무언가 새로운 것을 해 드리고 싶다. 작년까지는 감사 편지를 쓰곤 했다. 이번에는 색종이로 카네이션을 접어 드리고 싶다.

4 국경일에 찾아간 곳

1. 국경일에 무엇을 했는지 이야기해 봅시다.

1) 누가, 언제, 어디를 갔는지 말해 보세요.

2) 준서가 어디에서 무엇을 했는지 〈보기〉와 같이 말해 보세요.

〈보기〉 준서는 광화문 광장에서 기념행사를 봤어요.

국경일, 광복절, 한글날, 태극기, 기념행사, 애국가, 박물관, 전시물

-었던

글자로 이름을 만들다

한글을 예쁘게 꾸미다

전시물을 보다

한글박물관

2. 그림을 가리키며 아래와 같이 말해 봅시다.

나는 작년 한글날에 한글박물관에 갔어요. 한글박물관에서 글자로 이름을 만들었던 기억이 나요.

①

②

③

3. 명절이나 기념일에 겪은 일을 쓰고 친구와 이야기해 봅시다.

언제:

어디서:

한 일:

5 '접어!' 놀이 하기

1. 명절과 기념일에 하는 일을 말해 봅시다.

1) 빈칸에 알맞은 말을 〈보기〉에서 골라 쓰세요.

〈보기〉			
	• 윷놀이를 하다	• 그네를 타다	• 감사 편지를 쓰다
	• 씨름을 하다	• 한복을 입다	• 떡국을 먹다
	• 카네이션을 접어서 드리다		

2) 〈보기〉의 말을 사용하여 아래처럼 말해 보세요.

〈보기〉
① 추석/명절/씨름
② 한글날/한글박물관에 가다/전시물을 보다

2. '접어!' 놀이를 해 봅시다.

〈보기〉

나는 설날에 떡국을
세 그릇 이상 먹었던 적이 있어.
접어!

나는 어버이날에 부모님께
편지를 쓰곤 했어.
접어!

〈놀이 방법〉
① 명절이나 기념일에 한 일을 생각해요.
② 내 순서가 되면 '-었던'이나 '-곤 하다'를 넣어서 〈보기〉처럼 외쳐요.
③ 똑같은 일을 했으면 손가락을 하나씩 접어요.
④ 마지막까지 손가락을 펴고 있는 사람이 승리!

6 기행문 읽기

1. 엠마가 쓴 글을 읽고 질문에 답해 봅시다.

1) 읽어 보세요.

국립한글박물관을 다녀와서

10월 9일은 한글날입니다. 지금까지 저는 한글날에 집에서 늦잠을 자거나 친구와 놀곤 했습니다. 그러나 이번에는 국립한글박물관에 다녀왔습니다. 좀 더 재미있는 경험을 하고 싶었기 때문입니다. 박물관에는 빈센트와 같이 갔는데 지하철을 타고 갔습니다.

국립한글박물관은 매우 커서 볼 것도 많고 할 것도 많았습니다. 빈센트는 한글 놀이터에서 글자를 예쁘게 꾸몄는데 사물을 낱말의 모양대로 나타내는 것이 재미있었다고 했습니다.

저는 한글 배움터로 갔는데 자음자와 모음자 도형을 조립해서 이름을 만들었습니다. 배울 때는 '그냥 그런 거구나'라고 생각했는데 글자들이 만나서 소리가 나고 뜻이 생겨나는 것이 신기했습니다.

어느새 집에 갈 시간이 되어서 서둘러 나왔습니다. 박물관 밖으로 나오니 벌써 해가 지고 있었습니다. 아쉬운 마음을 가진 채 박물관을 뒤로하고 지하철에 올랐습니다.

2) 엠마가 누구와 언제, 어디로 갔는지 말해 보세요.

3) 엠마는 무엇이 신기했는지 말해 보세요.

2. 1을 다시 읽고 어디서 무엇을 했는지 붙임 딱지를 붙여 보세요. 붙임 딱지

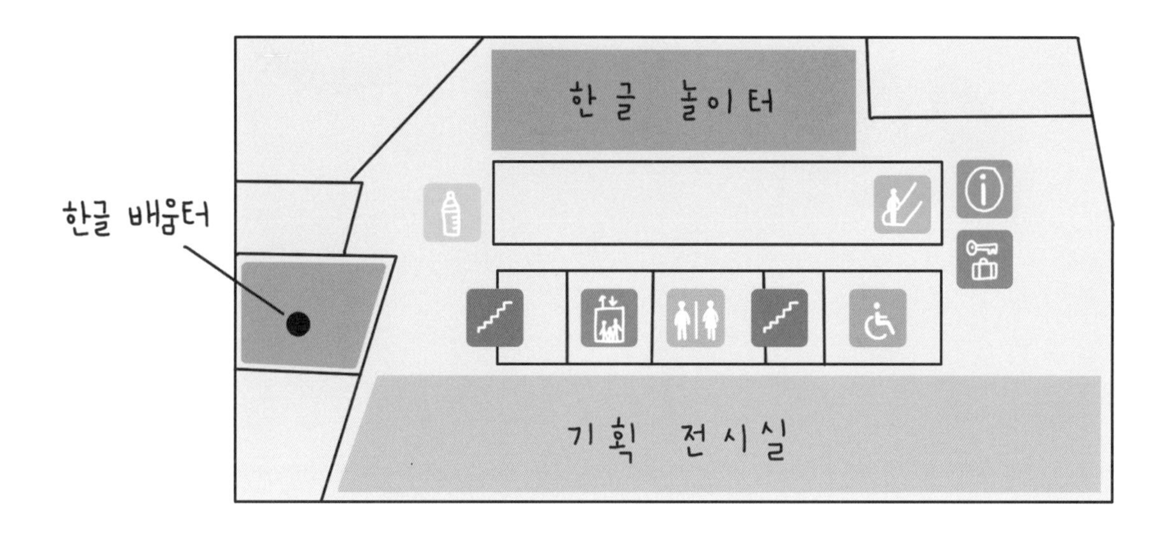

3. 여러분이 다녀온 곳에 대해 말해 봅시다.

1) 질문에 답해 보세요.

언제 갔어요? 어디로 갔어요? 무엇을 했어요? 어땠어요?

2) 다녀온 곳에 대해서 아래와 같이 말해 보세요.

지난 한글날 한글박물관을 갔어요.
한글 놀이터에서 친구와 함께 이름을 꾸미며
재미있게 놀았던 기억이 나요.

7 설명하는 글 쓰기

1. 유키와 아빠의 대화를 듣고 물음에 답해 봅시다. 13

1) 아빠는 무엇에 대해 이야기하고 있어요?

2) 일본 사람들은 무엇을 먹는지, 또 무슨 일을 하는지 말해 보세요.

2. 부모님 나라의 명절에 대해 써 봅시다.

1) 부모님께 무엇을 질문할지 읽어 보세요.

2) 1)에서 알게 된 것을 바탕으로 부모님 나라의 명절을 설명하는 글을 써 보세요.

3. 쓴 글을 친구들 앞에서 발표해 봅시다.

8 생각 넓히기

1. 세배하는 법을 배워 봅시다.

1) 그림을 보고 순서대로 따라 해 보세요.

남자

① 왼손이 위로 가게 손을 모아요.

② 손을 가슴까지 올려요.

③ 손을 바닥에 짚고 엎드려요.

④ 일어선 다음에 인사해요.

2) 주의할 점을 익혀요.

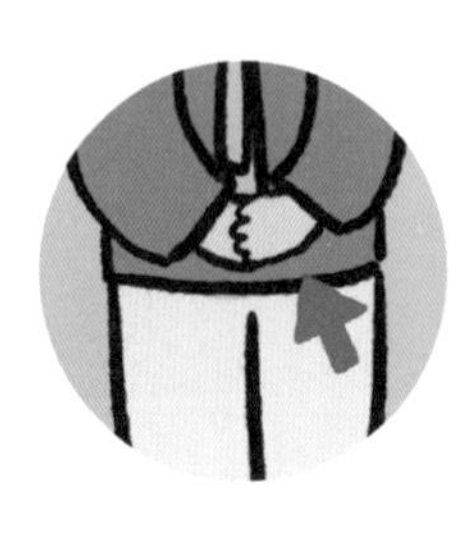

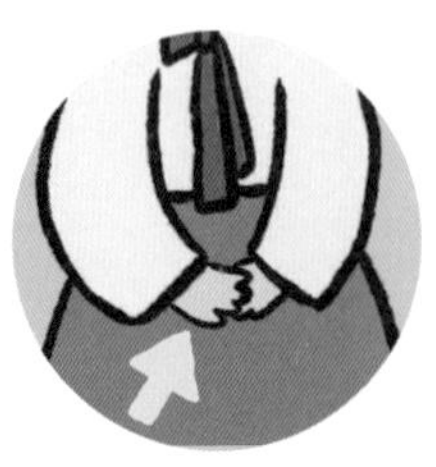

여자

① 오른손이 위로 가게 손을 모아요.

② 손을 어깨까지 올려서 이마에 붙여요.

③ 무릎을 꿇으며 앉아요.

④ 몸을 앞으로 숙여서 인사를 하고 일어서요.

2. 친구들과 서로 세배를 해 봅시다.

〈활동 방법〉

① 음악이 시작되면 교실을 자유롭게 돌아다녀요.
② 친구와 마주치면 서로 가위바위보를 해요.
③ 진 사람이 이긴 사람에게 세배를 해요.
④ 서로 잘못된 세배 동작을 바르게 고쳐 줘요.

선택 1
5 '짝 찾기' 놀이 하기
6 이야기 읽기
7 제안하는 글 쓰기
8 생각 넓히기
필수
1 우리 학교 동아리 활동
2 현장 체험 학습
3 봉사 활동 제안하기
4 모둠 역할 정하기
선택 2
학습 도구
한국어

4

모임 활동

학습 목표

- 친구와 함께 하는 모임 활동을 말할 수 있다.
- 모임 활동을 제안하는 말을 할 수 있다.
- 친구와 협동하기 위한 말을 할 수 있다.

- 무엇을 하고 있어요?
- 어떤 점이 달라요?

1 우리 학교 동아리 활동

1. 나래초등학교의 동아리 활동에 대해 이야기해 봅시다.

1) 듣고 동아리 이름을 〈보기〉에서 찾아 쓰세요. 14

〈보기〉 글짓기부 요리부 만들기부

그리기부	( )	연극부
인상 깊은 대상을 정해서 그리다	여러 가지 요리 방법을 배우다	공연 연습을 하다

( )	합주부	( )
독서 감상문을 쓰다	악기를 연주하다	찰흙으로 다양한 모양을 빚다

2) 동아리 활동에 대해 아래와 같이 엄마와 이야기해 보세요.

그리기부에서는 무엇을 하니?

그리기부에서는 인상 깊은 대상을 정해서 그린대요.

동아리, 인상 깊다,
독서 감상문, 글짓기, 합주,
연극, 공연 연습, 찰흙, 대본,
악기, 재료, 다듬다

-는대요, -으래요

2. 관계있는 것끼리 연결하고 말해 봅시다.

1) 동아리 활동에 필요한 일을 연결해 보세요.

2) 1)을 보고 아래와 같이 이야기해 보세요.

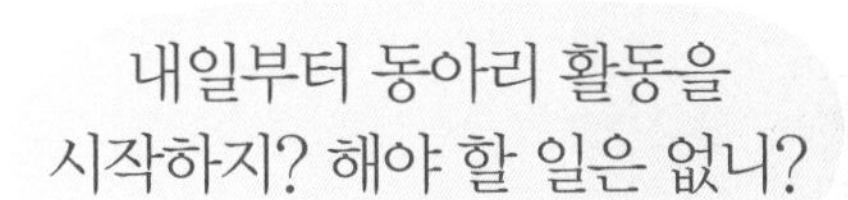

만들기부는
찰흙을 준비하래요.

3. 하고 싶은 동아리 활동을 아래와 같이 이야기해 봅시다.

2 현장 체험 학습

1. 체험 학습을 가려고 합니다. 말해 봅시다.

천문대

별자리를 보다
달을 관찰하다

미술관

미술 작품을 감상하다
작품 해설을 듣다

영화관

영화를 관람하다

동물원

동물을 구경하다
동물에게 먹이를 주다

극장

연극을 감상하다

1) 누가 어디로 갔어요? 체험 학습 활동을 가리키며 읽으세요.

2) 무엇을 하고 싶어요? 〈보기〉와 같이 따라 해 보세요.

〈보기〉

체험 학습으로
어디를 가고 싶니?

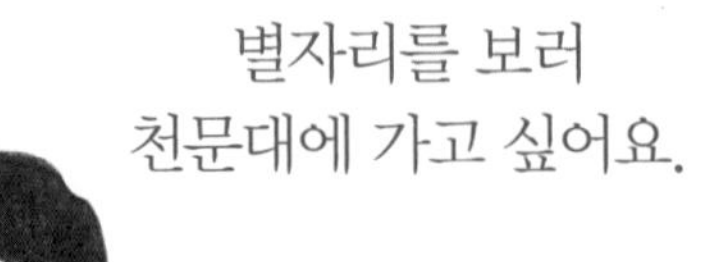

별자리를 보러
천문대에 가고 싶어요.

천문대, 별자리, 관찰하다,
작품, 해설, 영화관,
영화를 관람하다, 극장,
구경하다

-재요

2. 친구의 생각을 전하는 말을 해 봅시다. 15

1) 친구들이 생각하는 것을 써 보세요.

이름	가고 싶은 곳	하고 싶은 활동
엠마	미술관	
준서		동물 구경
유키		

2) 〈보기〉를 이용하여 아래와 같이 친구의 말을 전해 보세요.

친구들과 어디를
가고 싶니?

엠마는 미술관으로 가재요.
저도 엠마하고 같이 미술
작품을 감상하고싶어요.

〈보기〉

① 다니엘/천문대/달을 관찰하다 ② 자르갈/극장/연극을 보다 ③ 촘푸/동물원/동물을 구경하다

3. 그림을 보고 친구들이 가고 싶은 체험 학습을 말해 봅시다.

①

②

③

3 봉사 활동 제안하기

1. 학교 누리집 게시판에 쓴 글을 읽고 물음에 답해 봅시다.

이름	타이선	올린 날짜	○○-○○-○○
제목	할머니, 할아버지를 위한 봉사 활동을 제안해요.		
내용	안녕하세요. 저는 4학년 2반 타이선이에요. 우리 학교는 해마다 한마당 축제를 열어요. 작년에도 열심히 연습해서 무대 위에서 연극 공연을 했어요. 대사를 외우기가 어렵기는 했지만 뿌듯했어요. 지난 주말에는 가까운 동네의 요양원에 봉사 활동을 갔어요. 요양원에 계신 할머니, 할아버지께 책도 읽어 드리고 노래도 불러 드렸어요. 정말로 보람찬 하루였어요. 저는 이분들도 축제를 보러 와 주셨으면 해요. 이번 축제에 요양원의 어르신들도 초대하는 게 어때요? 할머니, 할아버지께서 아이들을 정말 좋아하세요. 어르신들과 함께하는 축제는 분명 즐겁고 보람찰 거예요.		

1) 타이선이 연극을 마치고 기분이 어땠는지 말해 보세요.

2) 타이선이 무엇을 제안했는지 써 보세요.

3) 제안한 까닭은 무엇인지 말해 보세요.

제안, 축제, 공연, 요양원, 봉사, 심부름, 보람차다, 주물러 드리다, 산책하다, 뿌듯하다

-는 게 어때요, -기는 하지만

2. 요양원의 할머니, 할아버지를 위한 봉사 활동을 말해 봅시다.

청소를 돕다

어깨를 주물러 드리다

책을 읽어 드리다

심부름을 해 드리다

함께 산책하다

내가 할 수 있는 봉사 활동에는 무엇이 있을까?

1) 그림을 가리키며 〈보기〉와 같이 봉사 활동을 제안해 보세요.

〈보기〉

할머니, 할아버지께 무엇을 도와드릴 수 있을까요?

청소를 돕는 게 어때요?

2) 〈보기〉와 같이 봉사 활동을 하고 난 후의 소감을 말해 보세요.

① 피곤하다/기분이 좋다
② 힘들다/재미있다
③ 지치다/보람차다
④ 팔이 아프다/뿌듯하다

〈보기〉

봉사 활동을 하고 나니까 어때요?

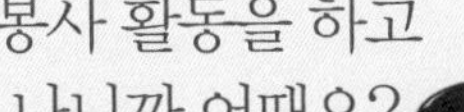

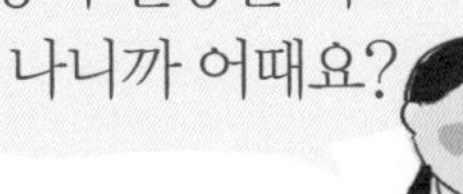

피곤하기는 했지만 행복했어요.

3. 봉사 활동을 계획해 봅시다.

도서관에서 책 정리를 돕는 게 어때?

좋은 생각이야. 책이 무겁기는 하지만 함께 하면 즐겁게 해낼 수 있을 거야.

거리에 벽화를 그리는 게 어때?

4 모둠 역할 정하기

1. 엠마네 학급의 모둠 역할입니다. 읽고 이야기해 봅시다.

1) 누가 어떤 역할을 하는지 아래와 같이 말해 보세요.

기록이는 친구의 발표를 공책에 적어요.

2) 그림을 가리키며 아래와 같이 필요한 역할을 이야기해 보세요.

우리 반 모둠에는 기록이가 필요해요.

기록이는 왜 필요해요?

친구의 발표를 적기 위해서 기록이가 필요해요.

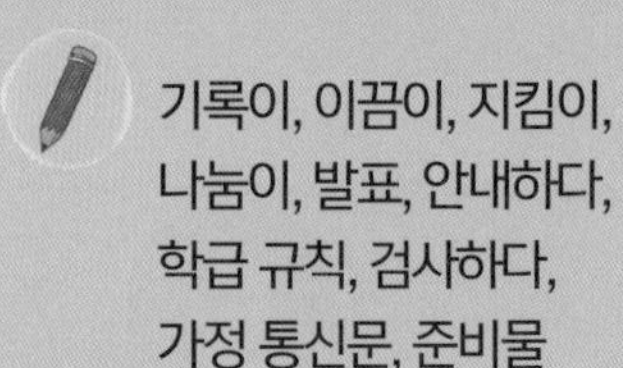

기록이, 이끔이, 지킴이, 나눔이, 발표, 안내하다, 학급 규칙, 검사하다, 가정 통신문, 준비물

-기 위해서

2. 모둠 역할에 따라 알맞은 말을 익혀 봅시다.

1) 누가 주로 하는 말일까요? 알맞은 모둠 역할을 빈칸에 써 보세요.

지금부터 우리 모둠의 의견을 발표하겠습니다.	복도에서는 걸어 다녀야 해.	다 썼으면 모아서 나에게 줘.	그럼 엠마부터 돌아가면서 말해 볼까?
	지킴이		

2) 다음 상황에 적절한 말을 골라서 말해 보세요.

①

②

③

④

3. 우리 모둠의 역할을 정하고 말해 봅시다.

5 '짝 찾기' 놀이 하기

1. 친구의 동아리 활동에 대해서 이야기해 봅시다.

1) 아래와 같이 묻고 대답해 보세요.

2) 친구의 동아리 활동을 듣고 빈칸에 써 보세요.

이름	동아리 활동	동아리 활동을 선택한 까닭
서영	글짓기부	글쓰기 실력을 키우기 위해서

교실을 돌아다니면서 친구들과 서로 묻고 답해 보세요.

같은 동아리 활동을 하는 친구는 누군지 찾아보세요.

3) 친구의 동아리 활동을 소개하는 이야기를 나누어 보세요.

타이선은 친구들과
맛있는 음식을 나눠 먹고 싶어서
요리부에 들어갔대.

하미는 다양한 악기 연주법을
배우기 위해서
합주부에 들어갔대.

2. '짝 찾기' 놀이를 해 봅시다. 부록

엠마도 글짓기부래요.

다니엘은 글짓기부에
들어갔대요.

이 카드는
우리가 가져갈게.

〈놀이 방법〉

① 12장의 빈 카드를 준비해요.
② 3장에는 친구의 이름, 3장에는 동아리의 이름을 써요.
③ 위와 똑같이 쓴 카드를 한 묶음 더 만들어요.
④ 카드를 뒤집어서 섞어요. 그리고 1장씩 넓게 펼쳐 놓아요.
⑤ 카드 2장을 골라요. 카드를 뒤집으면서 "○○는 ○○부래요."
또는 "○○는 ○○부에 들어갔대요."라고 말해요.
⑥ 같은 짝을 찾으면 카드를 가져가요. 서로 다른 카드면 다시
원래대로 뒤집어요.

6 이야기 읽기

1. 지하철에서 벌어진 일을 읽고 물음에 답해 봅시다.

1) 읽어 보세요.

열차를 움직인 힘

지난 2003년 열차와 승강장 사이에 한 남자의 몸이 끼이는 사고가 발생했다. 지켜보던 많은 사람들은 어쩔 줄을 몰라 허둥거리기만 할 뿐이었다. 이때, 한 아저씨가 그 남자를 구하기 위해서 열차를 밀기 시작했다. 그러자 아주머니 한 분이 그 아저씨를 도와 열차를 밀고 이를 본 중학생 한 명도 달려와 열차를 밀었다. 그리고 이들의 모습을 본 많은 사람들이 우르르 몰려들어 열차를 밀기 시작했다. 마침내 열차의 틈이 벌어졌고 열차와 승강장 사이에 끼어 있던 남자를 구할 수 있었다.

사고를 당한 남자를 구하라고 명령한 사람은 아무도 없었다. 그러나 사람들은 생명을 구하고 싶다는 하나의 목표를 가졌고 이것이 열차를 움직인 힘이 되었다.

2) 남자에게 무슨 일이 벌어졌는지 말해 보세요.

3) 무엇이 열차를 움직인 힘이 되었는지 말해 보세요.

2. 일이 일어난 순서대로 번호를 써 봅시다.

①	많은 사람들이 열차를 밀다.
②	열차를 움직여 남자를 구하다.
③	한 아저씨가 열차를 밀다.
④	아저씨와 아주머니가 열차를 밀다.
⑤	열차와 승강장 사이에 남자의 몸이 끼이다.

3. 협동해서 문제를 해결한 경험을 이야기해 봅시다.

7 제안하는 글 쓰기

1. 엠마의 반에서 일어난 일입니다. 친구와 이야기해 봅시다.

1) 무슨 일이 일어났는지 말해 보세요.

2) 비슷한 일을 겪은 적이 있는지 이야기해 보세요.

2. 엠마가 학급 게시판에 쓴 글을 읽고 질문에 답해 봅시다.

우유갑을 아무렇게나 던진다.
그래서 우유가 샌다.

- 바지에 우유가 묻다.
- 우유 냄새가 심하다.

게 시 판

우리 반은 2교시 쉬는 시간에 우유를 마셔요. 그런데 우유갑을 아무렇게나 던지는 친구들이 있어서 자주 우유가 새요.

오늘도 서영이가 우유 상자를 들다가 바지에 우유가 묻었어요. 교실 바닥에 우유가 새서 냄새도 심하게 났어요.

이 일을 어떻게 해결하면 좋을까요? 좋은 의견을 알려 주세요.

1) 무엇이 문제인지 말해 보세요.

2) 문제를 해결하기 위해 제안하는 말을 써 보세요.

우유갑을 씻어 바르게
세워 놓는다면?

3. 타이선의 생각을 읽고 제안하는 글을 써 봅시다.

점심시간에 밥을 다 먹지 않고 남긴다.
먹을 만큼만 음식을 받는다면…….
- 음식이 아깝다.
- 음식물 쓰레기가 생긴다.

1) 무엇이 문제인지 말해 보세요.

2) 문제를 해결하기 위한 방법을 떠올려 글을 써 보세요.

3) 쓴 글을 친구들 앞에서 발표해 보세요.

8 생각 넓히기

1. 포스터를 보고 이야기해 봅시다.

젓가락 하나는 쉽게 부러져요.

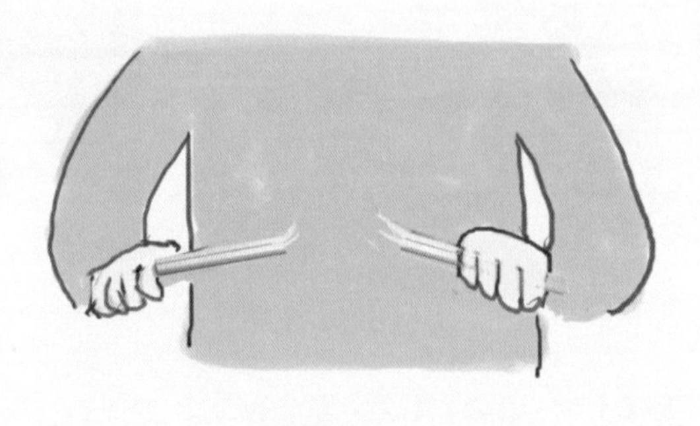

하지만

젓가락들이 모여 뭉치면 튼튼해져요.

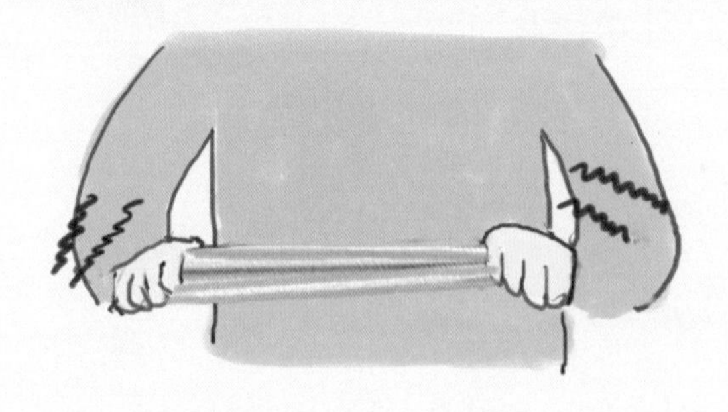

1) 젓가락이 쉽게 부러지지 않는 까닭은 무엇인지 말해 보세요.

2) 이 포스터는 무엇을 말하고 있는지 이야기해 보세요.

2. 속담을 읽고 이야기해 봅시다.

1) 무슨 뜻인가요?
   이야기해 보세요.

2) 어떤 상황에서 사용하는 말일지 이야기해 보세요.

① ② ③

3. 2)의 그림을 보며 아래와 같이 알맞은 속담을 넣어서 말해 봅시다.

선택 1
5 '짝 찾기' 놀이 하기
6 감사 편지 쓰기
7 신문 상담 글 읽기
8 생각 넓히기
필수
1 처음 만난 친구
2 고마운 친구
3 내가 그렇게 한 이유
4 거절하는 방법
선택 2
학습 도구
한국어

5

친구 관계

학습 목표
- 친구에게 고마움을 표현할 수 있다.
- 자신이 한 일의 이유를 말할 수 있다.

- 언제 친구에게 고마움을 느꼈어요?
- 어떤 일로 친구에게 섭섭했어요?

1 처음 만난 친구

1. 전학 온 친구의 기분이 어땠는지 말해 봅시다.

1) 듣고 따라 해 보세요. 16

2) 아래처럼 대화해 보세요.

오딜은 지금 기분이 어때요?

쑥스러워요.

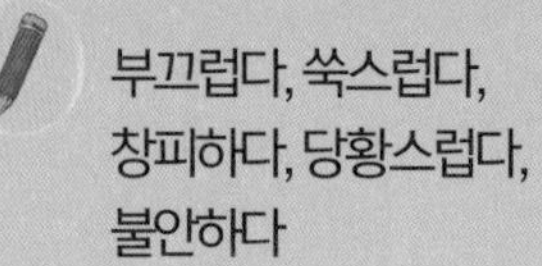

부끄럽다, 쑥스럽다,
창피하다, 당황스럽다,
불안하다

-을까 봐

2. 1의 그림을 보며 친구와 〈보기〉와 같이 대화해 봅시다.

〈보기〉

가: 너는 처음 전학 왔을 때 기분이 어땠어?
나: 나는 좀 불안했어.
가: 아, 그랬구나. 왜 불안했어?
나: 친구들이 나를 안 좋아할까 봐 그랬어.

① 당황스럽다 – 피부색이 달라서 친구들이 이상하게 생각하다
② 창피하다 – 나만 한국어를 못하다
③ 부끄럽다 – 한국어 발음을 틀리다

3. 처음 전학 왔을 때 기분이 어땠는지 이야기해 봅시다.

2 고마운 친구

1. 편지를 읽고 질문에 답해 봅시다.

1) 듣고 따라 해 보세요. 17

2) 누가 누구에게 쓴 편지예요?

서영이에게

지난번 알림장을 쓸 때 도와줘서 정말 고마워.

한국어가 익숙하지 않았는데, 네가 알기 쉽게 설명해 준 덕분에 쉽게 이해했어. 그때 참 감동했어. 학교생활이 어렵지만 너처럼 좋은 친구가 있어서 안심이 돼. 그런데 너 글씨가 참 예쁘더라. 그럼, 또 만나자.

너의 친구 오딜로부터

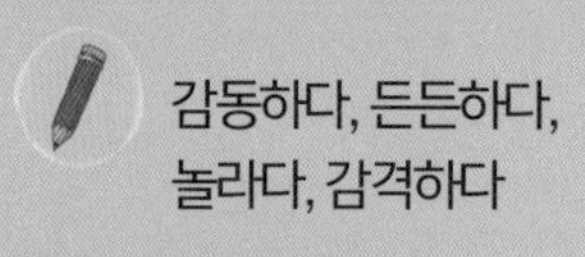

감동하다, 든든하다, 놀라다, 감격하다

-는 덕분에

3) 다음과 같이 대화해 보세요.

가: 친구가 도와줬을 때 기분이 어땠어요?
나: 그때 참 감동했어요.

2. 〈보기〉와 같이 문장을 연결해 친구에게 고마운 점을 말해 봅시다.

알기 쉽게 설명해 주다, 쉽게 이해하다

→ 알기 쉽게 설명해 준 덕분에 쉽게 이해했어.

준비물을 다 챙겼는지 전화해 주다, 잊지 않고 잘 챙기다

 ______________________

병문안을 와 주다, 기운이 나다

 ______________________

학교 여기저기를 안내해 주다, 학교생활에 익숙해지다

 ______________________

3. 친구에게 감사 편지를 써 봅시다.

장위에게

지난주에 준비물을 다 챙겼는지 전화해 준 덕분에 잊지 않고 잘 챙겼어. 그때 참 든든했어.

너의 친구 오딜로부터

3 내가 그렇게 한 이유

1. 그림을 보고 이야기해 봅시다.

1) 듣고 가리키며 따라 하세요. 18

2) 그림을 보며 친구와 다음과 같이 묻고 답해 보세요.

> **가:** 전화가 왔을 때 타이선은 무엇을 하고 있었어요?
> **나:** 엄마 심부름을 하고 있었어요.

3) 잘 듣고 따라 하세요. 19

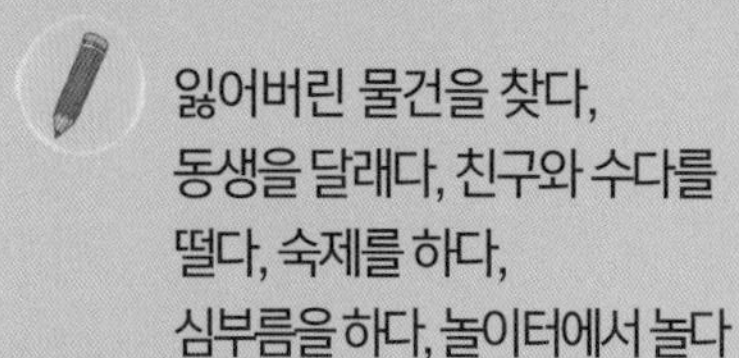

잃어버린 물건을 찾다,
동생을 달래다, 친구와 수다를
떨다, 숙제를 하다,
심부름을 하다, 놀이터에서 놀다

-느라고

2. 그림을 보고 서영이의 전화를 못 받은 이유를 말해 봅시다.

가: 어제 무슨 일 있었어? 왜 전화를 안 받았어?
나: 미안해. 친구와 수다를 떠느라고 못 받았어.

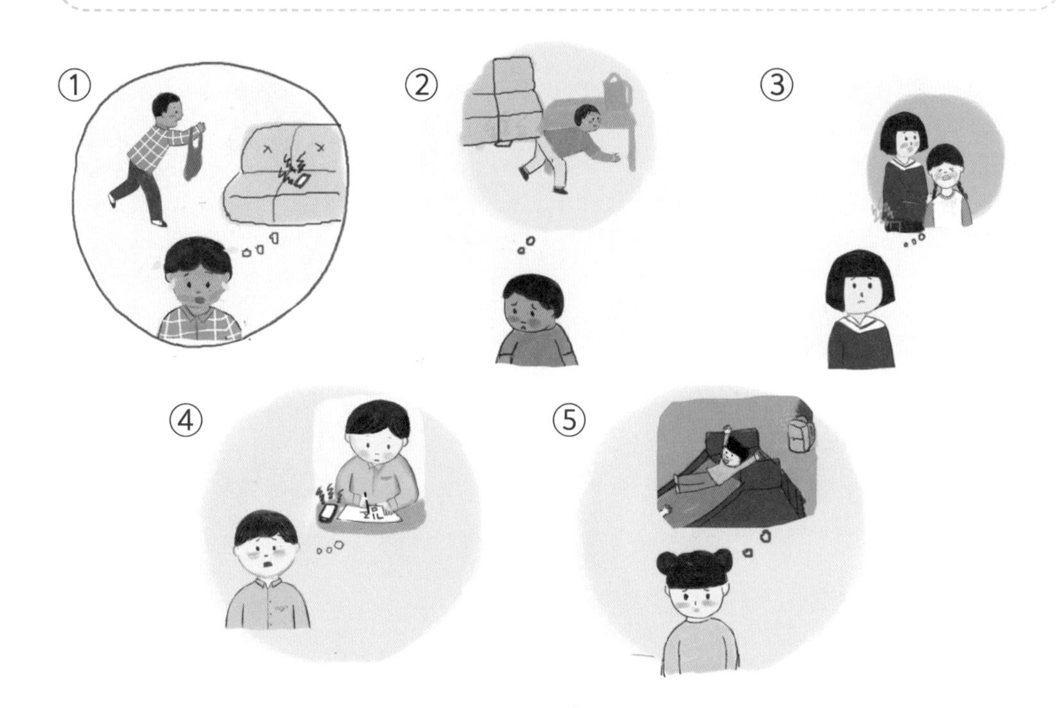

3. 이유를 말해 봅시다.

1) 선생님: 숙제를 왜 안 했어요?

나: ____________느라고 못 했어요.

2) 친구: 약속 시간에 왜 이렇게 늦게 나왔어?

나: ____________

3) 엄마: 왜 방 정리를 아직까지 안 했니?

나: ____________

4 거절하는 방법

1. 잘 듣고 이야기해 봅시다.

1) 듣고 따라 하세요. 20

2) 1)에서 들은 말을 사용하여 아래와 같이 대화해 보세요.

> 가: 어떻게 하는 게 좋겠어?
> 나: 번갈아 하는 게 좋겠어.

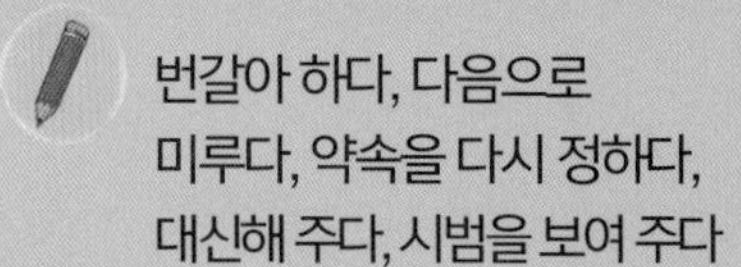

번갈아 하다, 다음으로 미루다, 약속을 다시 정하다, 대신해 주다, 시범을 보여 주다

-으면 안 될까

2. 그림을 보고 친구의 기분이 상하지 않게 말해 봅시다.

가: 이번에도 내가 던질게.
나: 번갈아 하면 안 될까?

3. 친구의 기분이 상하지 않게 대화를 완성해 봅시다.

한 시간 안에 회의를 다 끝내자.

벌써 한 시간째야.

좀 쉬었다가 하다

우리가 자리를 양보해 드리다

나도 끼워 주다

5 '짝 찾기' 놀이 하기

1. 다음을 잘 듣고 대답해 봅시다. 21

1) 준서는 무엇을 하고 있어요?

2) 준서는 이제 무엇을 할 거예요?

2. 친구와 〈보기〉와 같이 말해 봅시다.

〈보기〉

서영: 엠마, 어제는 미안해. 아파서 병원에 가느라 문구점에 못 갔어.
엠마: 그랬구나. 아픈 건 좀 어때?
서영: 괜찮아. 문구점은 내일 가면 안 될까?
엠마: 그래, 좋아. 그럼 내일 3시에 만나자.

1)

2)

3. '짝 찾기' 놀이를 해 봅시다. 부록

● 글 카드

늦잠을 자다	살금살금 걷다
지각을 하다	일찍 자다
일찍 일어나다	지각을 안 하다
친구가 깨워 주다	엄마가 잠에서 깨다

● 이어 주는 말

〈놀이 방법〉

① 원 안으로 들어가 글 카드를 하나씩 나누어 가지세요.
② 친구들의 글 카드를 확인하세요.
③ 칠판에 적힌 이어 주는 말을 사용해서 한 문장으로 만들 수 있는 글 카드를 가진 친구를 찾으세요.
④ 손을 들고 친구와 함께 문장을 큰 소리로 외치세요.
⑤ 문장이 맞으면 그 친구와 손을 잡고 원 밖으로 나오세요.
⑥ 마지막까지 원 안에 남아 있는 친구가 술래가 돼요.

6 감사 편지 쓰기

1. 다음 편지를 읽고 질문에 대답해 봅시다.

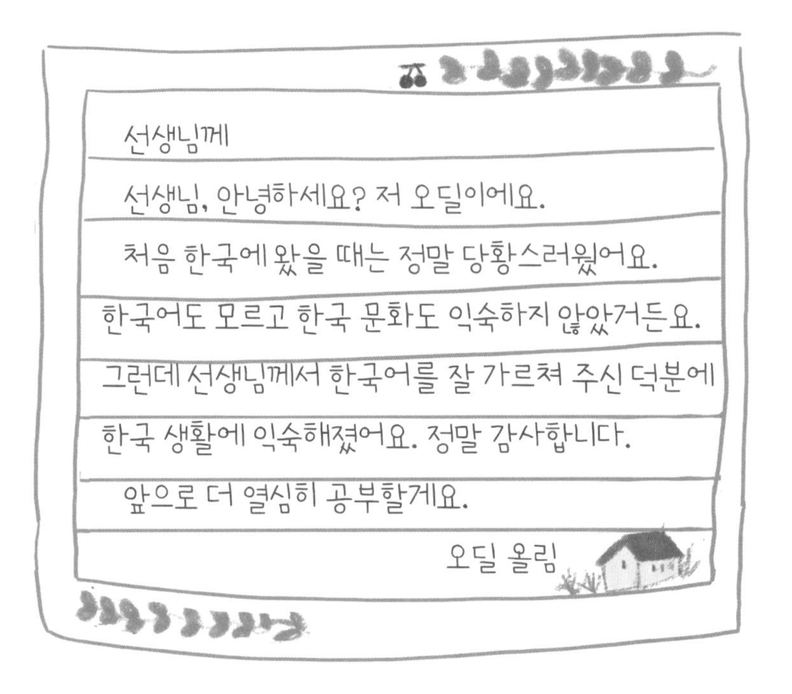
선생님께

선생님, 안녕하세요? 저 오딜이에요.

처음 한국에 왔을 때는 정말 당황스러웠어요.
한국어도 모르고 한국 문화도 익숙하지 않았거든요.
그런데 선생님께서 한국어를 잘 가르쳐 주신 덕분에
한국 생활에 익숙해졌어요. 정말 감사합니다.

앞으로 더 열심히 공부할게요.

오딜 올림

1) 누가 누구에게 쓴 편지예요?

(　　　　　　　　　　)이/가 (　　　　　　　　　　)에게/께

2) 글쓴이는 처음 한국에 왔을 때 어땠어요?

3) 글쓴이는 왜 선생님께 감사해요?

2. 다음을 보고 감사 편지를 완성해 봅시다.

- 서영 → 엄마
- 아끼는 팔찌를 잃어버려서 속상하다
- 엄마가 팔찌를 찾아 주다 → 기쁘다
- 앞으로 물건을 잘 챙기다

엄마께

엄마, 안녕하세요? 저 서영이에요.

어제는 아끼는 팔찌를 잃어버려서 무척 속상했어요.
그런데 엄마가 팔찌를 찾아 주신 덕분에 정말 기뻤어요.
정말 감사해요. 앞으로 물건을 잘 챙길게요.

서영 올림

- 다니엘 → 선생님
- 친구들과 오해가 생겨서 우울하다
- 선생님이 친구들에게 내 사정을 잘 설명해 주다 → 안심하다
- 앞으로 친구들과 사이좋게 지내다

3. 고마운 사람에게
감사 편지를 써 봅시다.

7 신문 상담 글 읽기

1. 신문 상담 글을 읽고 대답해 봅시다.

강수연 선생님의 고민 상담소

1

저는 두 달 전에 한국에 처음 왔어요. 한국어가 서툴러서 친구들이랑 이야기하는 것이 좀 힘들었어요. 그래도 좋은 친구들을 만난 덕분에 학교생활이 어렵지 않았어요.

그런데 요즘 친구들이 저 몰래 제 이야기를 하는 것 같아요. 너무 섭섭하고 속상해요. 어떻게 하면 좋을까요?

저런, 친구들 때문에 굉장히 섭섭하고 속상하군요. 좋은 친구들이니까 몰래 나쁜 말을 하는 것은 아닐 거예요. 아마 오해가 있는 것 같아요.

우선, 친구들에게 자신의 마음을 솔직히 말해 보세요. 그러고 나서 담임 선생님을 찾아가 보세요. 선생님께서 잘 도와주실 거예요.

1) 친구는 지금 기분이 어때요?

2) 친구는 어떤 고민이 있어요?

3) 강수연 선생님은 친구에게 어떻게 하라고 했어요?

2

선생님, 안녕하세요? 우리 반에는 두 달 전쯤 다른 나라에서 온 친구가 있어요. 저와 제 친구들은 그 친구와 사이좋게 지내고 있었어요. 점심시간에 밥도 같이 먹고, 수업 후에 축구도 같이 했어요.

그런데 어느 날부터 이 친구가 저희를 피하는 것 같아요. 저희는 걱정이 돼서 친구에게 무슨 일이 있는지 모여서 자주 이야기를 해요. 지금도 아주 걱정이 돼요. 우리가 너무 어려운 말을 해서 그럴까요? 어떻게 하면 좋을까요?

친구가 갑자기 피하는 것 같아서 정말 속상하겠어요. 친구를 걱정하는 것을 보니 사연을 보낸 친구와 친구들은 다시 사이좋게 지낼 수 있을 거예요.

우선, 직접 만나서 친구에게 무슨 문제가 있는지, 다른 친구들에게 섭섭한 일은 없는지 물어보는 게 좋겠어요. 아마 작은 일로 오해가 생긴 것 같아요. 오해를 풀고 다시 좋은 친구 사이가 되기를 바랄게요.

1) 친구는 지금 기분이 어때요?

2) 친구는 어떤 고민이 있어요?

3) 강수연 선생님은 친구에게 어떻게 하라고 했어요?

8 생각 넓히기

1. 다음을 보고 왜 밑줄 그은 부분처럼 말했는지 이야기해 봅시다.

2. 위의 밑줄 그은 말이 무슨 뜻인지 알아봅시다.

'코가 납작해지다'는 자신감을 잃고 기가 죽었다는 뜻이에요.

'배가 아프다'는 남이 잘된 것에 심술이 난다는 뜻이에요. 한마디로 질투가 난다는 거죠.

'손에 땀을 쥐다'는 일이 잘 안 될까 봐 마음이 긴장되고 초조하다는 뜻이에요.

3. 다음 상황에는 어떤 말이 어울릴까요? 빈칸을 채워 봅시다.

1) 농구 골 넣기는 언제나 내가 동생보다 훨씬 잘했어. 그런데 오늘은 동생한테 아주 쉽게 졌어.

친구들 앞에서 ------------------------------.

2) 총알이 빗발치는 전쟁터에서 주인공은 결국 살아남았어.

정말 가슴 졸이고 -------------------- 영화였어.

3) ?

------------------------------.

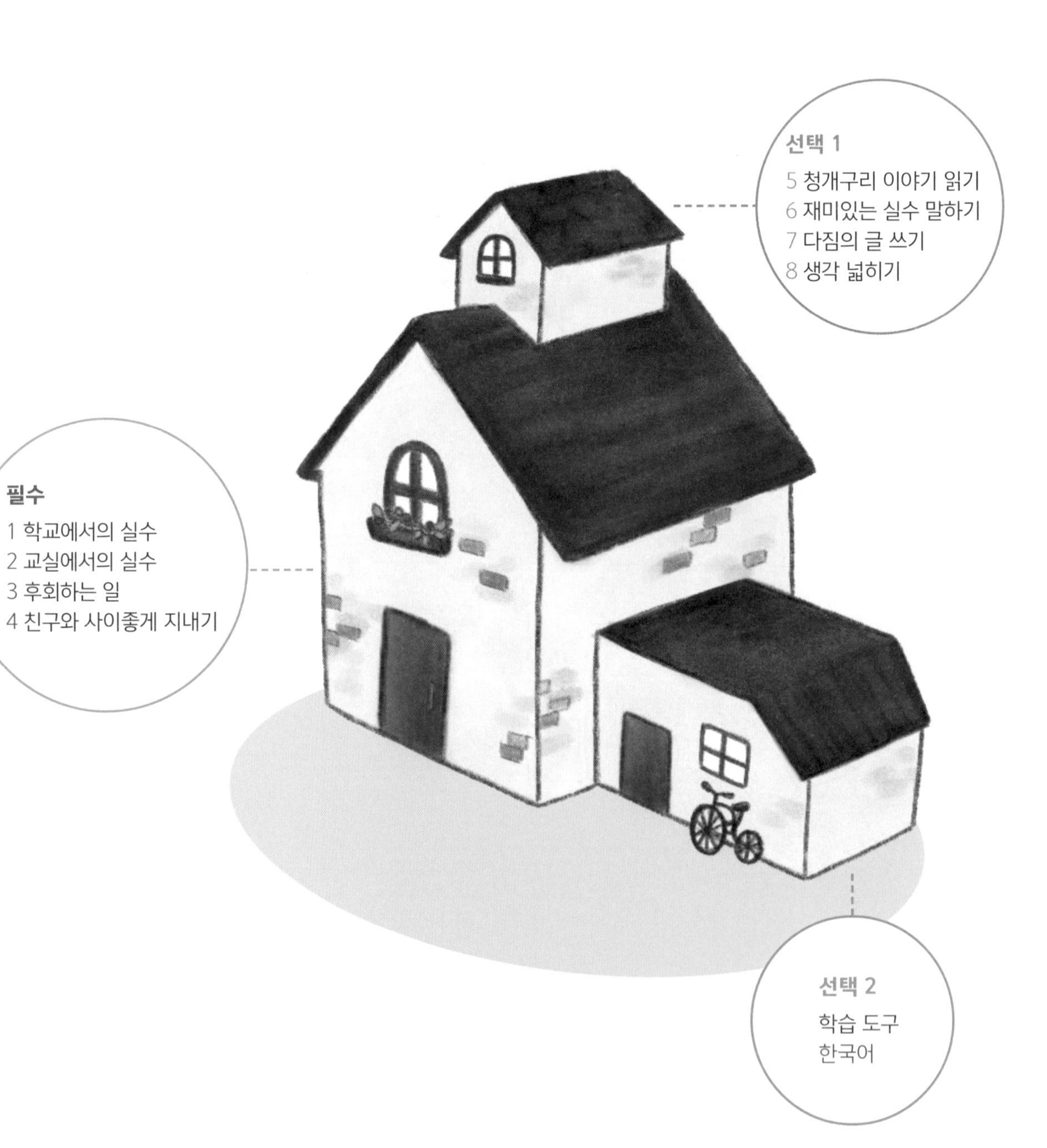
선택 1
5 청개구리 이야기 읽기
6 재미있는 실수 말하기
7 다짐의 글 쓰기
8 생각 넓히기
필수
1 학교에서의 실수
2 교실에서의 실수
3 후회하는 일
4 친구와 사이좋게 지내기
선택 2
학습 도구
한국어

6 실수와 후회

학습 목표

- 실수한 경험을 말할 수 있다.
- 후회하는 일에 대해 이야기할 수 있다.
- 앞으로의 일을 다짐할 수 있다.

- 어떤 실수를 한 적이 있어요?
- 실수하고 나서 후회한 적 있어요?

1 학교에서의 실수

1. 친구들이 한 실수를 이야기해 봅시다. 22

1) 잘 듣고 따라 하세요.

2) 잘 듣고 붙임 딱지를 그림에 붙여 보세요. 붙임 딱지

2. 그림 속 친구들이 되어 다음과 같이 말해 봅시다.

가: 표정이 왜 그래? 무슨 일 있어?
나: 달리기하다가 넘어지고 말았어.
가: 저런, 속상했겠다.

3. 실수한 경험을 이야기해 봅시다.

1) 다니엘은 무슨 실수를 했어요?

2) 다니엘은 왜 그런 실수를 했어요?

3) 여러분은 어떤 실수를 한 적이 있어요?

물을 엎지르다, 길을 잃다,
배턴을 놓치다, 창문을 깨뜨리다,
넘어지다, 헛발질을 하다, 돌부리에
발이 걸리다, 친구와 부딪치다

-고 말다

저는 달리기를 하다가 넘어졌어요.
앞 친구보다 빨리 가고 싶어서
빨리 뛰었는데, 갑자기 몸이 앞으로
기울어졌어요. 그래서 넘어지고 말았어요.
열심히 뛰었는데 아쉬웠어요.

2 교실에서의 실수

1. 친구들에게 무슨 일이 있는지 이야기해 봅시다.

1) 친구들이 어떤 실수를 했는지 말해 보세요.

2) 그림의 낱말을 들으면서 가리키고 따라 해 보세요. 23

잘못 알아듣다, 안 가져오다,
못 듣다, 잘못 가져오다,
깜빡 잊다, 잘못 보다,
잃어버리다

-었구나

3) 듣고 따라 하세요. 24

장위: 어떡하지? 교과서를 잘못 가져왔어.

오딜: 교과서를 잘못 가져왔구나. 그럼 나랑 같이 보자.

2. 어울리는 것을 연결해 대화를 만들어 봅시다.

필통을 잃어버렸어.	그래서 대답을 못 했구나. 내가 질문을 다시 말해 줄게.
숙제하는 것을 깜빡 잊었어.	저런, 필통을 잃어버렸구나. 그럼 내가 빌려줄게.
글씨를 잘못 봤어.	글씨를 잘못 봤구나. 그럼 다시 잘 읽어 봐.
질문을 못 들었어.	그래서 숙제를 안 냈구나. 내일까지 하면 될 거야.

3. 실수한 친구와 이야기해 봅시다.

3 후회하는 일

1. 오딜에게 무슨 일이 있는지 이야기해 봅시다.

1) 소리 내어 읽어 보세요.

오딜은 오늘 친구들과 집에서 즐겁게 놀았습니다. 스케치북이 없어서 달력을 찢어서 그림을 그렸습니다. 벽에도 그림을 그렸습니다. 그 후에는 소파에서 뛰어내리기 게임을 했는데, 뛰다가 쿠션과 전화기를 떨어뜨렸습니다. 또 어항에서 물고기를 꺼내 욕조에 넣어 줄 때 어항이 떨어져서 깨졌습니다. 한참 놀다 보니 배가 고파서 냉장고에서 빵과 우유를 꺼내 먹었습니다. 우유가 쏟아졌지만 그냥 두었습니다.

그때 엄마가 오셨습니다. "집 안이 이게 뭐니?" 엄마는 화가 나셨습니다. 오딜은 후회했습니다. '아, 스케치북에 그림을 그릴걸.' '물고기를 꺼내지 말걸.'

2) 오딜은 어떻게 집 안을 어지럽혔어요?

벽에 낙서를 하다

액자를 떨어뜨리다

달력을 찢다

우유를 쏟다

쿠션을 망가뜨리다

어항을 깨뜨리다

장난감을 늘어놓다

전화기를 고장 내다

벽에 낙서를 하다, 달력을 찢다, 액자를 떨어뜨리다, 우유를 쏟다, 쿠션을 망가뜨리다, 어항을 깨뜨리다, 전화기를 고장 내다, 장난감을 늘어놓다

-을걸

3) 오딜이 무엇을 후회하는지 말해 보세요.

③ 장난감을 늘어놓고 안 치웠어? (장난감을 치우다)

④ 전화기를 고장 냈니? (전화기를 떨어뜨리지 말다)

② 어항은 왜 깨뜨렸어? (물고기를 꺼내지 말다)

⑤ 액자도 떨어뜨렸니? (액자를 건드리지 말다)

⑥ 우유도 쏟았구나! (우유 잔을 조심하다)

① 쿠션을 망가뜨렸구나. (쿠션을 던지지 말다)

스케치북에 그림을 그릴걸.

벽에 낙서를 했어? (스케치북에 그림을 그리다)

2. 다음 날 오딜과 친구들이 만나서 어떤 이야기를 할지 이야기해 봅시다.

오딜, 어제 엄마한테 혼나지 않았어? 우리가 집을 너무 어지럽혀서…….

조금 혼나긴 했는데 괜찮아.

우리가 전화기를 고장 냈잖아.

------------------.

그리고 장난감을 늘어 놓고 하나도 안 치웠어.

------------------.

우유도 쏟았는데

------------------.

엄마가 화가 조금 나셨지만 괜찮아. 그 후에 내가 다 치웠거든.

4 친구와 사이좋게 지내기

1. 친구와 사이좋게 지내려면 어떻게 해야 하는지 이야기해 봅시다.

1) 잘 듣고 따라 하세요. 25

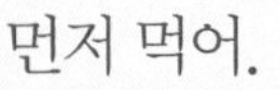

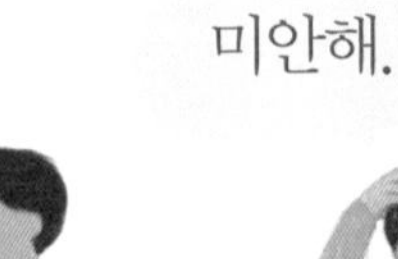

양보하다

친구 말을 잘 들어주다

먼저 사과하다

잘 도와주다

놀리지 말다

화내지 말다

2) 다니엘이 어떻게 다짐했는지 듣고 말해 보세요. 26

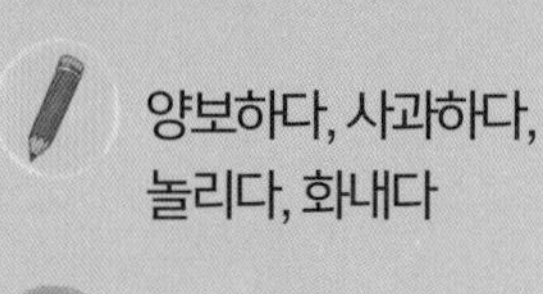

양보하다, 사과하다, 놀리다, 화내다

-어야지

2. 서영이의 고민을 잘 듣고 대답해 봅시다. 27

1) 서영이가 한 일에 ○표 하세요.

2) 서영이는 어떤 다짐을 했는지 쓰세요.

3. 친구와 사이좋게 지내기 위한 여러분의 다짐을 써 봅시다.

① --

② --

③ --

4. 잘 듣고 대화를 완성해 봅시다. 28

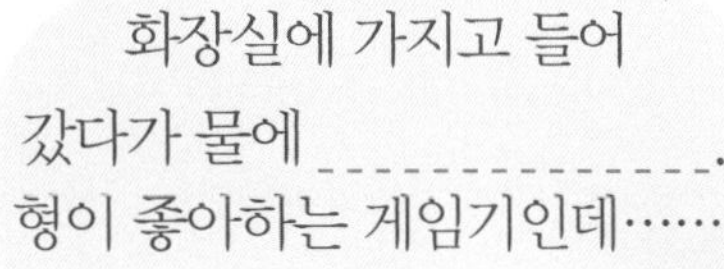

5 청개구리 이야기 읽기

1. 다음을 읽고 질문에 답해 봅시다.

옛날에 '아리'라는 청개구리 한 마리가 살았어요. 아리는 엄마 말을 잘 듣지 않고 늘 반대로 행동했어요. 엄마가 반찬을 골고루 먹으라고 하면 한 가지 반찬만 먹었고, 엄마가 아리가 감기에 걸릴까 봐 긴바지를 입으라고 하면 반바지를 입었어요. 엄마가 집에 일찍 들어오라고 하면 해가 지고 나서야 들어왔어요. 엄마는 말 안 듣는 아리 때문에 늘 속이 상했어요.

그러던 어느 날 엄마가 깊은 병에 걸리고 말았어요. 아리는 엄마 곁에서 열심히 간호를 했어요. 그렇지만 엄마의 병은 낫지 않았어요. 엄마는 돌아가시기 전에 아리에게 말씀하셨어요. "엄마가 죽으면 엄마를 강가에 묻어 주렴." 엄마는 아리가 늘 반대로 하니까 이렇게 말해야 아리가 엄마를 산에 묻을 거라고 생각했어요. 그런데 아리는 '이번에는 엄마 말대로 해야지.'라고 생각하고는 엄마 말대로 강가에 엄마를 묻었어요. 늘 엄마 말과 반

대로 행동해서 엄마가 속상해 하셨으니 엄마의 마지막 말씀은 꼭 따르겠다고 다짐했거든요.

그 뒤로 아리는 밥을 먹으면서도 '개굴개굴, 엄마 말대로 반찬을 골고루 먹을걸.' 옷을 입으면서도 '개굴개굴, 엄마 말대로 추운 날엔 긴바지를 입을걸.' 집에 돌아가면서도 '개굴개굴, 엄마 말대로 일찍 집에 들어갈걸.' '엄마 말대로 할걸.' 하면서 아리는 매일 후회했어요. 특히 비가 오는 날이면 아리는 엄마의 무덤이 떠내려갈까 봐 걱정이 돼서 엄마 무덤 앞에서 "개굴개굴" 울었어요. 여러분, 비 오는 날 개구리가 우는 소리를 들은 적이 있어요? 그 소리가 바로 엄마 무덤이 떠내려갈까 봐 걱정하는 아리의 울음소리랍니다.

1) 엄마는 왜 늘 속이 상했어요?

2) 엄마는 왜 아리에게 강가에 묻어 달라고 했어요?

3) 비가 오는 날에 아리는 왜 '개굴개굴' 울었어요?

	엄	마	의		무	덤	이							

2. 아리가 무엇을 후회하는지 말해 봅시다.

3. 여러분이 아리와 같이 후회한 경험을 말해 봅시다.

6 재미있는 실수 말하기

1. 다음을 듣고 말해 봅시다. 29

1) 그림의 순서대로 번호를 써 보세요.

2) 1)의 그림 순서대로 프랭크는 무엇을 하고 있는지 말해 보세요.

3) 빈칸을 채워 보세요.

① 어느 날 프랭크는 정원에서 음료수가 담긴 컵을 막대로 젓고 있었어요.
그런데 갑자기 집에서 어머니가 프랭크를 부르셨어요.

② 다음 날 아침 프랭크는 얼어 버린 컵을 보고 생각했어요.
'어제 컵을 집 안으로 ______________________.
그랬으면 얼지 않았을 텐데.'
프랭크는 컵을 안 가지고 들어간 것을 후회했어요.

③ 집으로 들어간 프랭크는 정원에 두고 온 컵을 깜빡 __________________.
컵은 밤새 추운 정원 테이블 위에 놓여 있었어요.

④ 컵에서 막대를 뽑으려는 순간, 컵만 떨어져 나왔어요.
막대를 잡고 한 입 먹어 보니 정말 맛있었어요. 그래서 프랭크는 다짐했어요.
'정말 ____________________________.
여름에 이렇게 아이스바를 만들어 __________________________.
정말 잘 팔릴 거야.'

2. 그림을 보면서 친구에게 이야기를 다시 말해 봅시다.

3. 여러분도 실수한 것이 오히려 재미있었거나 새로운 발견으로 이어진 적이 있어요? 이야기해 봅시다.

1) 재미있는 실수를 하거나 본 적이 있어요?

2) 그 실수의 어떤 점이 좋았어요?

7 다짐의 글 쓰기

1. 다니엘이 쓴 다짐의 글을 읽고 이야기해 봅시다.

다짐의 글

저는 오늘 수업 시간에 친구하고 같이 이야기를 했습니다. 갑자기 어제 본 웃긴 만화가 생각나서 못 참고 그만 친구에게 말하고 말았습니다. 수업 시간이라는 것을 깜빡 잊었습니다. 선생님께서 "조용히 하세요."라고 말씀하실 때까지 계속 이야기했습니다. 그래서 선생님께서 화가 나신 것 같았습니다. 선생님께 죄송합니다. 쉬는 시간에 이야기할 걸 그랬습니다. 이번 일로 '앞으로는 수업 시간에 조용히 해야지.'라고 다짐했습니다.

5학년 3반 다니엘

1) 다니엘은 수업 시간에 무슨 일을 했어요?

① 친구하고 싸웠어요 ② 과자를 먹었어요 ③ 친구하고 이야기를 했어요

2) 선생님은 다니엘에게 뭐라고 하셨어요?

3) 다니엘은 앞으로 어떻게 할 거예요?

2. 다짐의 글을 써 봅시다.

1) 준서가 어떤 일을 했는지 말해 보세요.

2) 준서가 한 일을 연결해 보세요.

선생님께서 준서에게 "친구에게 장난치지 마세요."라고 하셨어요.

수업 시간에 엠마가 준서에게 지우개를 빌려 달라고 했어요.

준서는 엠마에게 지우개를 던졌어요. 그렇게 하면 재미있을 것 같았어요.

준서는 '앞으로는 지우개를 던지지 말아야지.'라고 생각했어요.

3) 준서가 되어 다짐의 글을 써 보세요.

8 생각 넓히기

1. 무슨 속담인지 알아봅시다.

원숭이도 나무에서 떨어진다

1) 원숭이는 나무에서 어떻게 지내요?

2) 원숭이는 나무에서 떨어질 때가 있을까요? 왜 떨어질까요?

3) 이 속담의 의미를 알아보세요.

원숭이는 나무 타기
선수지만, 가끔 나무에서
떨어지기도 해요.

어떤 일을 아주 잘하는
사람도 실수할 수
있다는 뜻이에요.

2. 속담을 이용해 말해 봅시다.

3. 친구와 서로 이야기하고 써 봅시다.

1) 평소에는 잘하던 일인데 그 일을 실수한 적이 있어요?

2) 친구에게 위로의 쪽지를 쓰세요.

친구 이름

( )

친구 이름

( )

선택 1
5 위인전 읽기
6 독서 감상문 쓰기
7 위인 소개하기
8 생각 넓히기
필수
1 광화문 광장의 위인들
2 위인전 속 위인들
3 존경하는 인물
4 존경하는 이웃
선택 2
학습 도구
한국어

7 인물

학습 목표
- 인물과 사건을 묘사하여 말할 수 있다.
- 특정한 사항을 강조하여 말할 수 있다.

- 존경하는 사람이 누구예요?
- 왜 그 사람을 존경해요?

1 광화문 광장의 위인들

1. 세종대왕과 이순신 장군의 업적에 대해 이야기해 봅시다.

세종대왕	이순신 장군
한글을 창제하다	전쟁에서 싸우다
물시계를 발명하다	전쟁을 대비하다
법전을 만들다	거북선을 제작하다

1) 그림을 보며 세종대왕과 이순신 장군이 한 일을 말해 보세요.

2) 〈보기〉와 같이 말해 보세요.

〈보기〉
가: 세종대왕은 어떤 업적을 남기셨어요?
나: 세종대왕은 한글을 창제하셨어요.

한글을 창제하다, 물시계를 발명하다, 법전을 만들다, 전쟁에서 싸우다, 전쟁을 대비하다, 거북선을 제작하다

을 위해

2. 세종대왕과 이순신 장군이 1에서와 같은 일을 한 이유를 이야기해 봅시다.

1) 잘 듣고 따라 하세요. 30

2) 세종대왕과 이순신 장군의 업적을 위와 같이 더 말해 보세요.

3. 고마운 사람들에 대해 이야기해 봅시다.

1) 다음 사람들은 여러분을 위해 무엇을 해 주었는지 이야기해 보세요.

선생님은 우리를 위해 한국어를 쉽고 재미있게 가르쳐 주셨어요.

엄마

아빠

경찰

2) 고마운 사람들에게 감사 카드를 써 보세요.

선생님께!

선생님 언제나 ____________ 한국어를 ____________ 어/아서 감사합니다.

앞으로 더 ______________ ㄹ/을게요. 그래서 선생님의 가르침에 보답하겠습니다.

2 위인전 속 위인들

1. 위인전 속 위인들에 대해 이야기해 봅시다.

1) 잘 듣고 따라 하세요. 31

2) 위인들이 어떤 업적을 남겼어요? 〈보기〉와 같이 말해 보세요.

〈보기〉
가: 에디슨은 어떤 업적을 남겼어요?
나: 에디슨은 전구를 발명했어요.

전구를 발명하다, 인종 차별을 없애다, 가난한 사람들을 위해 봉사하다, 훌륭한 음악을 작곡하다, 블랙홀을 연구하다, 방사성 물질을 발견하다

-게 하다

2. 다음 위인들과 관계있는 것을 연결하고 〈보기〉처럼 말해 봅시다.

〈보기〉 에디슨은 전구를 발명했어요. 그래서 밤에도 사람들이 밝은 빛 속에서 생활할 수 있게 했어요.

3. 위인 카드 게임을 해 봅시다. 부록

〈놀이 방법〉

① 빨간색 카드(위인 이름과 한 일이 쓰여 있음)와 파란색 카드(위인이 한 일의 결과가 쓰여 있음)를 글자가 아래로 가게 뒤집어서 펼쳐 놓아요.
② 빨간색 카드와 파란색 카드를 한 장씩 뒤집어요.
③ 짝이 맞으면 2의 〈보기〉와 같이 문장을 만들고 카드를 가져가요.
④ 문장을 만들지 못하거나 짝이 맞지 않으면 다시 카드를 뒤집어 놓아요.
⑤ 카드를 많이 가져간 사람이 우승자예요.

3 존경하는 인물

1. 잘 듣고 장위가 존경하는 인물에 대해 이야기해 봅시다.

1) 잘 듣고 따라 해 보세요. 32

2) 잘 듣고 존경하는 인물에 대해 묻고 대답해 보세요. 33

〈보기〉

가: 왜 오프라 윈프리를 존경해요?

나: 오프라 윈프리는 어려움을 이기고 성공했어요. 그리고 세계에서 가장 영향력 있는 여성이 되었어요. 그래서 오프라 윈프리를 존경해요.

2. 다음을 보고 〈보기〉와 같이 말해 봅시다.

〈보기〉

- 어려움을 이기고 성공하다
- 세계에서 가장 영향력 있는 여성이 되다

오프라 윈프리는 어려움을 이기고 성공했을 뿐 아니라 세계에서 가장 영향력 있는 여성이기 때문이에요.

고아, 환자, 영향력이 있다,
축음기를 발명하다,
비밀을 밝히다,
우주의 역사를 연구하다

-을 뿐 아니라

- 전구를 발명하다
- 축음기를 발명하다

- 인종 차별을 없애기 위해 노력하다
- 남아공 최초의 흑인 대통령이 되다

- 가난한 사람들을 위해 봉사하다
- 고아와 환자를 돕다

3. 모둠별로 존경하는 인물에 대해 조사해서 발표해 봅시다.

1) 다음 빈칸을 채우고 말해 보세요.

- 우주 과학자
- 블랙홀의 비밀을 밝히다
- 우주의 역사를 연구하다

제가 존경하는 인물에 대해서 발표하겠습니다. 저는 스티븐 호킹 박사를 존경합니다. 스티븐 호킹 박사는 ________________ 입니다. 스티븐 호킹 박사는 ________________ 을 뿐 아니라 ________________.

2) 모둠별로 인물을 정해 메모하고 발표해 보세요.

사진을
붙이세요.

-
-
-

4 존경하는 이웃

1. 다음을 읽고 존경하는 이웃에 대해 이야기해 봅시다.

우리 동네에는 훌륭한 이웃이 많이 있습니다. 아침에 제일 먼저 만날 수 있는 사람은 신문을 배달하는 형입니다. 날씨가 어떻든지 매일 같은 시간에 신문을 가져다줍니다. 우유 아주머니도 마찬가지입니다. 비가 오든지 눈이 오든지 매일 우유를 배달하십니다. 어른들은 두 사람을 아주 성실한 사람이라고 칭찬합니다.

우리 동네에서 제일 자주 만날 수 있는 사람은 아파트 경비 아저씨입니다. 경비 아저씨는 어린이들이 다칠까 봐 언제나 교통정리를 해 주십니다. 그래서 아파트에 어떤 차가 들어오든지 가장 먼저 만나는 사람은 우리 경비 아저씨입니다. 아버지는 경비 아저씨가 정이 많고 책임감이 강한 분이라고 했습니다.

그리고 제가 어디를 가든지 항상 졸졸 따라오는 옆집 강아지는 제가 좋아하는 이웃입니다. 제가 학교를 갈 때나 학교에서 돌아올 때나 늘 반갑게 꼬리를 치며 달려옵니다. 저는 이런 이웃들과 함께 우리 동네에서 사는 것이 정말 좋습니다.

1) 다니엘은 어떤 이웃을 왜 훌륭하다고 했어요?

이웃	훌륭한 점	이유
신문 배달하는 형	성실해요.	날씨가 어떻든지 매일 같은 시간에 신문을 가져다줘요.
아파트 경비 아저씨		

성실하다, 정이 많다,
책임감이 강하다

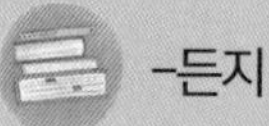
–든지

2) 다음 설명이 맞으면 ○, 틀리면 ×표 하세요.

우유 아주머니는 눈이 오거나 비가 올 때만 우유 배달을 하십니다. (   )
옆집 강아지는 제가 어디를 갈 때 항상 졸졸 따라옵니다. (   )

2. 다음 문장을 〈보기〉처럼 바꿔 말해 봅시다.

〈보기〉 어떤 차가 들어와도 다 교통정리를 해 주세요.
➡ 어떤 차가 들어오든지 언제나 교통정리를 해 주세요.

1) 아저씨는 어떤 날씨에도 매일 같은 시간에 신문을 가져다줘요.
➡ ______________________________

2) 다니엘은 내가 무엇을 부탁해도 다 들어줘요.
➡ ______________________________

3) 강아지는 내가 어디를 가도 늘 졸졸 따라와요.
➡ ______________________________

4) 준서는 어떤 이야기를 해도 다 재미있어요.
➡ ______________________________

3. 여러분 주위에는 어떤 훌륭한 이웃이 있는지 말해 봅시다.

우리 선생님은 아주 친절해요.
내가 무엇을 물어보든지 친절하게 가르쳐 주세요.

친절한 사람 | 성실한 사람 | 정이 많은 사람 | ?

5 위인전 읽기

1. 다음 위인전을 읽고 이야기해 봅시다.

빌 게이츠는 고등학교 때 처음 컴퓨터를 봤어요. 그때의 컴퓨터는 덩치가 크고 사용하기가 어려웠지만, 아주 신기하다고 생각했어요. 아무리 복잡한 계산식도 1초도 안 돼 풀어 버리니 그럴 수밖에요. 빌은 컴퓨터의 매력에 푹 빠져서, 컴퓨터가 있는 교실에 하루에도 몇 번씩 가곤 했어요. 그리고 도서관에서 컴퓨터에 관한 책은 모조리 빌려서 읽었어요.

하버드 대학교에 입학한 빌은 폴 앨런이라는 친구를 만났어요. 폴도 빌처럼 컴퓨터에 푹 빠져 있었지요. 두 사람은 학교를 자퇴하고 컴퓨터 회사인 마이크로소프트사를 설립했어요. 어느 날 두 사람에게 한 가지 아이디어가 떠올랐어요.

앞으로는 컴퓨터가 더 작아지고 빨라질 거야. 그리고 집집마다 컴퓨터가 한 대씩 있게 될 거야.

맞아. 그런데 지금은 컴퓨터를 사용하기가 어려워. 모든 사람이 쉽게 컴퓨터를 사용할 수 있게 해야겠어.

1) 맞는 것에 ○표 하세요.

①	빌 게이츠와 폴 앨런은 도스를 개발했어요.	( )
	빌 게이츠와 폴 앨런은 윈도를 개발했어요.	( )
②	빌 게이츠는 세계에서 가장 부유한 사람이에요.	( )
	빌 게이츠는 세계에서 가장 돈을 많이 써요.	( )

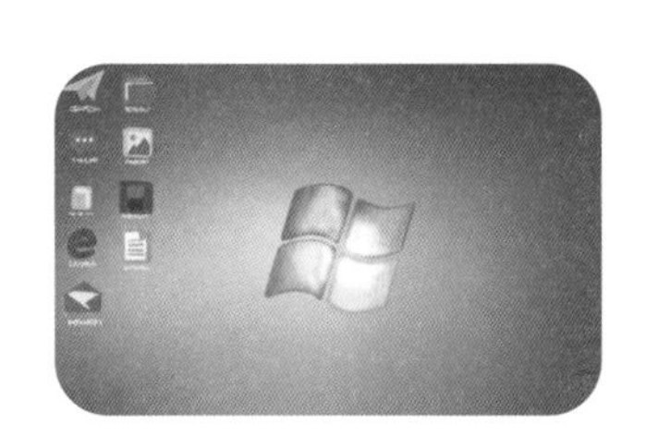

당시의 컴퓨터 운영 프로그램은 도스였는데, 도스는 사람들이 사용하기에 어려웠어요. 그래서 두 사람은 윈도라는 프로그램을 개발했어요. 윈도는 마우스를 클릭하기만 하면 되니까 누구든지 쉽게 사용할 수가 있어요. 심지어 어린아이들도 어렵지 않게 컴퓨터를 사용할 수 있어요. 개인용 컴퓨터가 보급되면서 전 세계 사람들이 윈도를 사서 사용하기 시작했어요. 빌은 하루아침에 억만장자가 되었어요. 그는 세계에서 가장 부유한 사람일 뿐 아니라 세계에서 가장 기부를 많이 하는 자선가로도 유명해요.

빌 게이츠와 그의 아내는 재단을 세워서 지금까지도 어려운 사람들을 위해 일하고 있답니다.

2) 빌 게이츠와 폴 앨런은 왜 윈도를 개발했어요?

3) 빌은 무엇으로 유명해요?

2. 이야기 중 어떤 부분이 가장 기억에 남는지 이야기해 봅시다.

저는 빌 게이츠가 고등학교 때 도서관에서 컴퓨터에 관한 책을 모조리 빌려서 읽었던 것이 가장 기억에 남아요.

6 독서 감상문 쓰기

1. 준서가 쓴 독서 감상문을 읽고 이야기해 봅시다.

	이		이	야	기	에	서		가	장		기	억	에		남	는		것
은		빌		게	이	츠	가		도	서	관	에	서		컴	퓨	터	에	
관	한		책	을		모	조	리		빌	려	서		읽	었	던		것	이
에	요	.	그	리	고		빌	은		세	계	에	서		가	장		부	자
일		뿐	만		아	니	라		가	장		기	부	를		많	이		해
요	.	정	말		훌	륭	하	다	고		생	각	해	요	.	저	도		빌
게	이	츠	처	럼		컴	퓨	터	를		잘	하	는		사	람	이		되
고		싶	어	요	.														

1) 준서는 빌 게이츠의 이야기에서 어떤 부분이 가장 기억에 남아요?

2) 준서는 빌 게이츠가 왜 훌륭하다고 생각해요?

3) 준서는 빌 게이츠의 어떤 부분을 닮고 싶어 해요?

2. 다음의 쪽지를 보고 빌 게이츠 이야기의 독서 감상문을 써 봅시다.

- **가장 기억에 남는 부분**

  빌이 윈도를 만든 것. 컴퓨터를 켤 때마다 윈도 화면을 봤는데 신기해요.

- **빌이 훌륭하다고 생각하는 것**
  - 혼자 컴퓨터 게임을 만들었어요.
  - 우리가 매일 쓰는 윈도를 만들었어요.

- **닮고 싶은 점**

  빌처럼 좋아하는 것을 열심히 공부하고 싶어요.

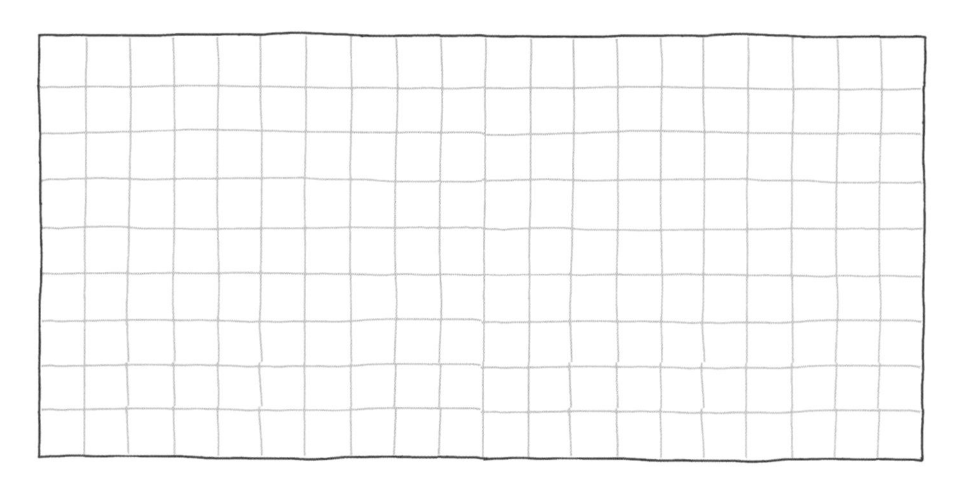

3. 여러분이 좋아하는 위인전을 읽고 독서 감상문을 써 봅시다.

1) 다음을 써 보세요.

- **가장 기억에 남는 부분**
- **훌륭하다고 생각하는 것**
-
-
- **닮고 싶은 점**

2) 1)을 보고 독서 감상문을 쓰세요.

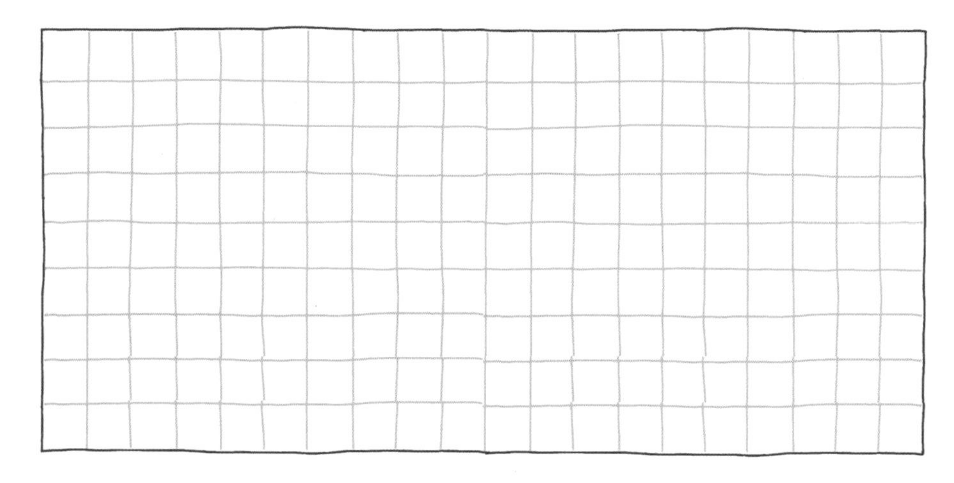

3) 독서 감상문을 발표해 보세요.

7 위인 소개하기

1. 위인을 소개하는 방송을 듣고 대답해 봅시다. 34

1) 서영이가 누구를 소개했어요?

2) 테레사 수녀님은 어떤 일을 했는지 말해 보세요.

가난한 아이들을 ________________ 아픈 사람들을 치료해 주었어요.

3) 다시 잘 듣고 빈칸을 채워 보세요.

테레사 수녀님은 유럽 사람이었지만 인도에서 ______________ 평생 봉사했습니다.

테레사 수녀님은 언제나 하얀 옷을 입었는데, 인도에서 하얀 옷은 가난한 사람들이 입는 옷이었습니다.

이렇게 수녀님은 언제나 가난하고 어려운 사람들 ______________.

2. 다음을 보고 서영이가 되어 위인을 소개해 봅시다.

①

- **이름:** 신사임당
- **직업:** 조선의 여성 문인
- 아름다운 시를 썼다.
- 아름다운 그림을 그렸다.
- 조선 시대 유명한 학자인 이이라는 훌륭한 아들을 두었다.
- 5만 원짜리 지폐에 신사임당과 그녀의 그림이 나와 있다.

②

- **이름:** 세종대왕
- **직업:** 조선의 임금
- 백성을 사랑했다.
- 백성을 위해 한글을 창제했다. ⇨ 백성들이 쉽게 글을 배울 수 있게 했다.
- 과학 기술과 농업 기술을 발전시켰다. ⇨ 백성들의 생활이 더 좋아지게 했다.
- 조선의 음악을 정리했다.

8 생각 넓히기

1. 위인들의 명언을 연결해 봅시다.

천재는 1퍼센트의 영감과 99퍼센트의 노력으로 만들어진다.	● ●	마더 테레사
고개를 들어 별을 보라, 당신의 발만 들여다보지 말고.	● ●	에디슨
당신이 오늘 베푼 선행은 내일이면 사람들에게 잊혀질 것이다. 그래도 선행을 베풀어라.	● ●	스티븐 호킹

2. 위의 명언이 무슨 뜻인지 생각해 봅시다.

많이 노력하지 않고서는 훌륭한 사람이 될 수 없다는 뜻이에요.

사람들이 기억해 주는 것을 바라지 말고 계속 도우라는 뜻이에요.

당장 힘들다고 해도 꿈을 간직하고 꿈을 향해 나아가라는 뜻이에요.

3. 다음 친구들에게는 어떤 위인의 말이 어울릴까요? 빈칸을 채워 봅시다.

친구는 저렇게 잘하는데
나는 자꾸 틀려.

“------------------------”라고 했어.

계속 연습하다 보면 잘하게 될 거야.

괜히 도와줬어.

“------------------------”라고 했어.

신경 쓰지 말고 도움이 필요한 친구들을 도와줘.

드디어 내가
후보 선수가 됐어. 됐어!
이 정도면 성공했어!

“------------------------”라고 했어.

지금에 만족하지 말고 더 큰 꿈을 가져 봐.

4. 나만의 명언을 만들어 봅시다.

선택 1
5 인터뷰 기사문 읽기
6 인터뷰 기사문 쓰기
7 미래의 모습 이야기하기
8 생각 넓히기
필수
1 내가 좋아하는 것
2 내가 잘하는 것
3 진로 탐구 대회
4 장래 희망
선택 2
학습 도구
한국어

8

진로

학습 목표
- 친구의 장점을 칭찬하여 말할 수 있다.
- 자신의 적성을 추측하여 말할 수 있다.

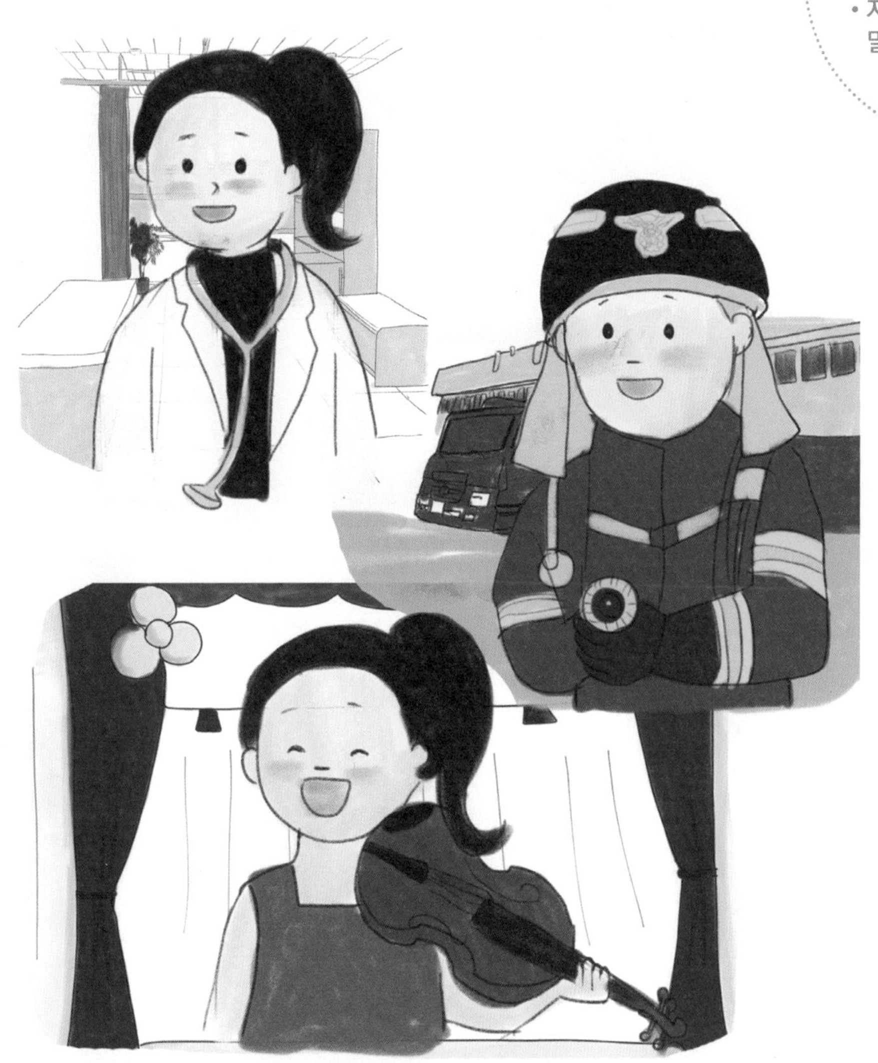

- 무엇을 할 때 즐거워요?
- 무엇을 잘할 수 있어요?

1 내가 좋아하는 것

1. 친구들이 무엇을 하고 있는지 말해 봅시다.

1) 듣고 가리키며 따라 하세요. 35

자동차 장난감을 가지고 놀다

인형 옷을 갈아입히다

병원놀이를 하다

공룡 그림책을 보다

춤을 따라 추다

개그 프로그램을 보다

2) 친구들이 무엇을 하고 있는지 말해 보세요.

오딜은 무엇을 하고 있어요?

자동차 장난감을 가지고
놀고 있어요.

자동차 장난감을 가지고 놀다, 인형 옷을 갈아입히다, 병원놀이를 하다, 공룡 그림책을 보다, 춤을 따라 추다, 개그 프로그램을 보다

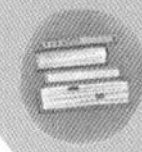

-던데

2. 친구들이 무엇을 좋아하는지 이야기해 봅시다.

〈보기〉

 서영아, 너는 뭘 할 때 제일 즐거워?

 난 인형 옷을 갈아입힐 때 제일 즐겁던데.

뭘 할 때 제일 재미있어?

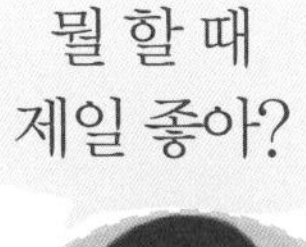

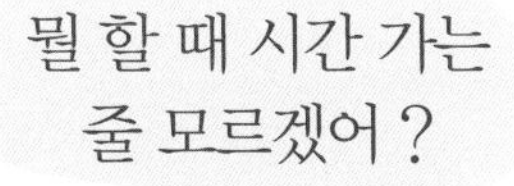

뭘 할 때 제일 기분이 좋아?

3. 친구들마다 좋아하는 일이 달라요. 다음 일에 대한 친구들의 생각을 이야기해 봅시다.

〈보기〉

 로봇 조립해 본 사람 있어? 나는 재미있던데.

 나는 로봇 조립은 좀 어렵던데.

 그래? 나는 재미있어서 매일 하고 싶던데.

1)

휴대 전화 게임을 하다

2)

강아지와 놀다

3)

자전거를 타다

2 내가 잘하는 것

1. 친구들이 무엇을 잘하는지 이야기해 봅시다.

1) 그림을 보고 친구들이 잘하는 것을 이야기해 보세요.

2) 듣고 가리키고 따라 하세요. 36

3) 선생님과 친구들의 이야기를 듣고 따라 하세요. 37

〈보기〉

선생님: 우리 반 친구들이 잘하는 것을 이야기해 봐요.
여러분, 다니엘은 무엇을 잘해요?

서영: 다니엘, 너는 친구들 흉내를 아주 잘 내잖아.

오딜: 맞아. 선생님 흉내도 아주 잘 내잖아.

동물을 돌보다, 예쁜 인형을 그리다, 자동차를 잘 알다, 공룡 이름을 외우다, 노래를 만들다, 흉내를 내다

-잖아

2. 친구가 무엇을 잘하는지 알려 줍시다.

나는 잘하는 게 없는 것 같아…….

무슨 소리야?
넌 동물을 잘 돌보잖아.

그래, 동물들이
너만 따르잖아.

1) 

유키

----

2) 서영

----

3) 준서

----

4) 

오딜

----

3. 나는 무엇을 잘할까요? 친구들의 이야기를 듣고 말해 봅시다.

1) 친구의 이름이 적힌 종이에 친구가 잘하는 것을 써 주세요.

타이선
너는 다른 친구의
이야기를 잘 들어주잖아.

2) 친구들이 적어 준 종이를 보고 내가 잘하는 것을 말해 보세요.

친구들이 제가 잘하는 것을 이렇게 알려 줬어요. 저는 다른 친구의 이야기를 잘 들어줘요. 그리고…….

3 진로 탐구 대회

1. 친구들의 성격에 대해 이야기해 봅시다.

1) 듣고 가리키며 따라 하세요. 38

2) 친구들의 성격을 말해 보세요.

다니엘은 성격이 어때요?

다니엘은 유쾌해요.

유쾌하다, 집중력이 강하다,
마음이 따뜻하다, 흥이 많다,
도전 정신이 강하다,
상상력이 풍부하다

-은가 보다

2. 진로 탐구 대회 그림을 보고 친구들의 성격을 추측해 봅시다.

〈보기〉 

다니엘은 개그맨이 되고 싶구나.
다니엘은 성격이 아주 유쾌한가 봐.

 ① 

 ② 

③ 

 ④ 

3. 친구들의 장래 희망을 들어 보고 성격을 추측해 봅시다.

〈보기〉

 준서야, 너는 커서 뭐가 되고 싶어?

 난 공룡 박사가 되고 싶어.

 그래? 집중력이 아주 강한가 봐.

① 엠마야, 너는 커서 뭐가 되고 싶어?

② 유키야, 너는 커서 뭐가 되고 싶어?

③ 오딜아, 너는 커서 뭐가 되고 싶어?

④ 서영아, 너는 커서 뭐가 되고 싶어?

⑤ ○○, 너는 커서 뭐가 되고 싶어?

4 장래 희망

1. 준서의 발표문을 읽고 질문에 답해 봅시다.

저는 나중에 커서 공룡 박사가 되고 싶어요. 어렸을 때부터 공룡 그림책을 많이 보아서인지 공룡에 관심이 많아요. 공룡은 종류가 아주 많은데, 저는 그중에서 티라노사우루스를 제일 좋아해요. 티라노사우루스는 이빨이 날카롭고 턱이 강해서인지 힘이 아주 세요. 저는 앞으로 공룡을 열심히 연구해서 새로운 공룡을 발견하고 싶어요.

1) 준서는 커서 무엇이 되고 싶어요?

2) 준서는 왜 자기가 공룡에 관심이 많다고 생각해요?

어렸을 때부터 공룡 그림책을 많이 ☐☐☐☐☐ 공룡에 관심이 많아요.

3) 준서는 왜 티라노사우루스가 힘이 세다고 생각해요?

티라노사우루스는 이빨이 날카롭고 턱이 ☐☐☐☐☐ 힘이 아주 세요.

관심이 많다, 개그 프로를 즐겨 보다, 반려동물을 키우다, 무대에 서는 것을 좋아하다, 속도를 즐기다, 꾸미는 것을 좋아하다

-어서인지

2. 친구들이 지금의 장래 희망을 갖게 된 이유가 뭐예요? 〈보기〉와 같이 말해 봅시다.

〈보기〉

다니엘은 장래 희망이 뭐예요?

다니엘은 개그 프로를 즐겨 봐서인지 개그맨이 되고 싶어 해요.

① **수의사**

반려동물을 키우다

② **연예인**

무대에 서는 것을 좋아하다

③ **카레이서**

속도를 즐기다

④ **의상 디자이너**

꾸미는 것을 좋아하다

3. 여러분의 장래 희망이 무엇인지 쓰고, 그런 장래 희망을 가지게 된 이유를 말해 봅시다.

나의 장래 희망은 **요리사**입니다.

저는 맛있는 것을 먹는 걸 좋아해서인지 요리사가 되고 싶어요.

나의 장래 희망은 ________ 입니다.

5 인터뷰 기사문 읽기

1. 다음 인터뷰를 읽고 이야기해 봅시다.

파티시에는 무슨 뜻이에요?

파티시에는 프랑스어로 '음식을 만드는 사람'이란 뜻이에요.

사장님은 왜 파티시에가 되셨어요?

빵을 너무 좋아해서인지 맛있는 빵을 직접 만들어서 먹고 싶었어요.

빵을 정말 좋아하셨나 봐요. 그런데 왜 좋은 재료로 빵을 만드세요?
좋은 재료는 비싸서 돈을 많이 못 벌잖아요.

내가 만든 빵을 먹고 사람들이 건강하기를 바라요. 그래서 좋은 재료를 써요.

그렇군요. 그리고 빵집 이름을 '알프스'라고 지으신 이유가 궁금해요.

알프스로 여행을 갔을 때 파티시에가 되기로 결심했거든요.
그래서 '알프스' 빵집으로 지었어요.

1) 파티시에는 어떤 직업이에요?

2) 사장님은 왜 파티시에가 되었어요?

3) 사장님은 왜 좋은 재료로 빵을 만들어요?

4) 여러분이 빵집 주인이라면 빵집 이름을 어떻게 부르고 싶어요?

2. 다음 인터뷰 기사문을 읽고 빈칸에 알맞은 말을 써 봅시다.

오늘은 우리 동네 빵집 '알프스'의 사장님을 만나서 궁금한 것을 몇 가지 여쭤봤어요. 사장님은 알프스로 여행을 갔을 때 __________이/가 되기로 결심했어요. __________은/는 프랑스어로 '음식을 만드는 사람'이란 뜻이에요. 이것이 빵집 이름이 '알프스'인 이유예요. 사장님은 빵을 너무 __________________ 맛있는 빵을 직접 만들어서 먹고 싶었어요. 그래서 파티시에가 되었어요. 사장님은 사람들의 건강을 위해서 비싸지만 좋은 재료를 사용해요. 사장님의 생각을 알고 나니 앞으로 '알프스' 빵집에 자주 가고 싶어졌어요.

3. 다음 인터뷰를 읽고 기사문을 써 봅시다.

나: 왜 서점을 하게 되었어요?
서점 주인: 서점이 사회에 필요할 것 같아서요.
나: 서점을 하면 어떤 점이 좋고, 어떤 점이 안 좋아요?
서점 주인: 서점에서 많은 사람을 만날 수 있잖아요. 그게 좋은 점이에요. 그리고 안 좋은 점은 언제든 책을 읽을 수 있다고 생각해서인지 책을 많이 안 읽는다는 거예요.

오늘은 우리 동네 서점 주인 아저씨를 만났어요. 궁금했던 점을 몇 가지 질문했어요. 아저씨는 ________________________ 서점을 하고 있대요. 그리고 ________________________는 것이 좋다고 했어요. 안 좋은 점은 ______________________________________는 거예요.

6 인터뷰 기사문 쓰기

1. 다음 직업 중 하나를 골라 인터뷰 질문을 만들어 봅시다.

선생님 | 경찰관 | 문구점 주인 | ?

1)

2)

3)

2. 위 질문으로 인터뷰를 하고 인터뷰 기사문을 써 봅시다.

3. 인터뷰 기사문을 친구들 앞에서 발표해 봅시다.

7 미래의 모습 이야기하기

1. 두 친구의 대화를 잘 듣고 질문에 답해 봅시다. 39

1) 타이선과 엠마의 미래 모습을 골라 보세요.

2) 엠마는 왜 벌써 타이선이 요리사가 된 것 같다고 했어요?

진로 탐구 대회 때 타이선의 그림을 [ ][ ][ ][ ]
벌써 요리사가 된 것 같다고 했어요.

3) 엠마는 무엇을 잘해요?

2. 친구의 미래 모습에 대해 이야기해 봅시다.

우리 나중에 커서 어떤 사람이 되어 있을까?

나는 자동차를 아주 좋아하잖아. 그러니까 아마 카레이서가 되어 있지 않을까?

자동차에 정말 관심이 많은가 봐.

①

②

③

3. 여러분의 미래의 모습에 대해 친구와 이야기해 봅시다.

1) 무엇을 좋아해요?

2) 커서 무엇이 되어 있을까요?

3) 장래 희망을 이루고 나서 어떤 일을 하고 싶어요?

난 춤추고 노래하는 것을 좋아하잖아.
아마 내가 흥이 많은가 봐. 나중에 커서
연예인이 되어 있을 것 같아.
연예인이 되면 사람들에게 꿈을 주는
노래를 부르고 싶어.

8 생각 넓히기

1. 어울리는 직업을 연결해 봅시다.

• 슬픈 표정이나 기쁜 표정을 잘 지을 수 있어요. • 책에 나오는 사람들의 행동을 잘 연기할 수 있어요.	댄서
• 선생님이 시범 보이는 동작을 정확하게 따라 할 수 있어요. • 어려운 춤 동작도 몇 번 해 보면 잘할 수 있어요.	영화배우
• 복잡한 그림을 가위로 정확하게 오릴 수 있어요. • 복잡한 그림도 붓으로 정확하게 색칠할 수 있어요.	?

2. 다음 사람들은 무엇을 잘해야 하는지 이야기해 봅시다.

선생님	학생들을 사랑해야 돼.	많이 알아야 돼.
미용사		
영화배우		

3. 친구와 함께 좋아하는 것과 잘하는 것에 대해 이야기하고, 어울리는 직업을 이야기해 봅시다.

난 만화 영화 보는 걸 좋아해.
열 시간도 볼 수 있어.

그리고 만화 영화 등장인물을
안 보고 그릴 수 있어.

그럼 만화가가 잘 어울리겠다.
만화 영화도 좋아하고, 만화 영화
등장인물도 잘 그릴 수 있으니까.

난 내가 만든 음식을 친구들이
맛있게 먹을 때 기분이 좋아.

그리고 음식을 더 맛있게
만드는 방법을 알고 싶어.

듣기 지문

1단원 • 기상 현상

1. 날씨에 따른 모습

Track 1

태풍이 오다
소나기가 쏟아지다
안개가 끼다
장마가 지다
폭설이 내리다

Track 2

길이 눈으로 덮이다
산사태가 일어나다
비바람이 몰아치다
앞이 잘 안 보이다
강물이 불어나다

2. 계절에 따른 날씨와 생활

Track 3

온도가 올라가다
온도가 내려가다
포근하다
졸음이 오다
황사가 심하다
눈이 따갑다
무덥다
더위에 쉽게 지치다
피부가 끈적이다
습하다
건조하다
산불이 잘 나다
쌀쌀하다
감기 몸살에 걸리기 쉽다

Track 4

① 다니엘: 포근해요. 그래서 졸음이 와요.
② 유키: 건조해요. 그래서 산불이 잘 나요.
③ 다니엘: 습해요. 그래서 피부가 끈적여요. 기분이 좋지 않아요.

5. '계절이 되면' 놀이 하기

Track 5

강수연 선생님: 날씨를 알려 드립니다. 바깥으로 나갈 때는 꼭 우산을 준비해야겠습니다. 장마로 인해 아침부터 소나기가 쏟아지겠습니다.

안찬원 선생님: 이번 주말은 미세 먼지로 인해 하늘이 흐리겠습니다. 미세 먼지가 심할수록 마스크 쓰는 것을 잊지 마시길 바랍니다. 지금까지 날씨를 전해 드렸습니다.

7. 일기 예보 말하기

Track 6

강수연 선생님: 장마가 몰려오고 있습니다. 제주는 천둥 번개와 함께 소나기가 내리겠습니다. 광주와 부산도 하루 종일 비가 내리겠습니다. 대구는 아침부터 안개가 끼겠습니다. 대전은 구름이 많아 흐리겠습니다. 서울은 맑겠습니다. 지금까지 날씨를 전해 드렸습니다.

2단원 • 체육 활동

1. 친구와 함께 하는 운동

Track 7

① 서영: 한 사람은 공을 던져요.

유키: 나머지는 던진 공을 피해야 하는 운동이에요.

② 오딜: 두 사람은 줄을 돌려요.
준서: 나머지는 줄을 넘어야 하는 운동이에요.

③ 장위: 한 사람은 공을 튀겨요.
유키: 나머지는 공을 뺏어야 하는 운동이에요.

2. 운동회에서 겪은 일

Track 8

콩 주머니 던지기
콩 주머니를 던지다
기마전
친구를 등에 업다
응원하기
큰 소리로 응원하다
이어달리기
결승점까지 달리다
줄다리기
줄을 잡아당기다.

4. 가족과 함께 간 등산

Track 9

① 빈센트는 토요일에 가족들과 함께 등산을 다녀왔습니다.

② 등산에 오르기 전에 빈센트 가족은 주차장에서 준비 운동을 했습니다.

③ 문수산 정상에서 동생의 발이 아프기 시작했습니다.

5. '몸으로 말해요' 놀이 하기

Track 10

① 타이선: 공을 발로 차는 운동이야. 한 사람이 공을 차면 또 다른 사람은 손으로 공을 막아야 해.

② 엠마: 줄을 넘는 운동이야. 한 사람이 줄을 돌려 주면 또 다른 사람은 줄을 넘어야 해.

③ 서영: 공을 피하는 운동이야. 한 사람이 공을 던지면 또 다른 사람은 공을 피해야 해.

3단원 • 명절과 기념일

1. 설날의 모습

Track 11

① 유키: 민속촌 놀이 마을에 들어서는데 사람들이 "윷이야!" 하고 외치면서 윷놀이를 하더라.

② 엠마: 민속촌 상가 마을에서는 사람들이 알록달록 예쁜 한복을 입고 다니더라.

③ 준서: 민속 마을에서는 사람들이 언덕에 서서 하늘 높이 연을 날리더라.

3. 기념일에 하고 싶은 일

Track 12

서영: 5월이야. 5월은 가정의 달이지. 오딜은 무슨 날이 가장 좋아?
오딜: 5월 하면 어린이날이지. 나는 어린이날이 가장 기다려져.
서영: 그동안 어린이날에 무엇을 했어?
오딜: 그동안 나는 어린이날마다 기념 선물을 받곤 했어. 이번에는 선물보다 우리 가족 모두 함께 놀이공원에 놀러 가 보고 싶어.

7. 설명하는 글 쓰기

Track 13

유키: 아빠, 아빠 나라에도 명절이 있어요?
아빠: 그럼 있지. 일본에도 설날이 있는데 명절 음식을 함께 먹는단다.
유키: 정말요? 무엇을 먹어요?
아빠: 떡국이랑 비슷한 음식을 먹지.
유키: 또 무엇이 비슷해요?
아빠: 한국은 설날에 한복을 입지? 일본에도

한복과 같은 전통 옷을 입는단다.

4단원 • 모임 활동

1. 우리 학교 동아리 활동

Track 14

안찬원 선생님: 여러분, 오늘은 동아리를 정할 거예요. 동아리에서 어떤 활동을 하는지 잘 들으세요.
그리기부에서는 인상 깊은 대상을 정해서 그릴 거예요.
요리부에서는 여러 가지 요리 방법을 배울 거예요.
연극부에서는 공연 연습을 할 거예요.
글짓기부에서는 독서 감상문을 쓸 거예요.
합주부에서는 악기를 연주할 거예요.
만들기부에서는 찰흙으로 다양한 모양을 빚을 거예요.

2. 현장 체험 학습

Track 15

엠마: 나는 미술관을 가고 싶어. 우리 같이 미술관에 가서 미술 작품을 감상하자.
준서: 나는 동물원에 가고 싶어. 동물원에 가서 동물을 구경하자. 같이 갈래?
유키: 천문대는 어때? 우리 같이 천문대에서 달을 관찰하자. 어때?

5단원 • 친구 관계

1. 처음 만난 친구

Track 16

1. 쑥스럽다
2. 부끄럽다
3. 불안하다
4. 당황스럽다
5. 창피하다

2. 고마운 친구

Track 17

1. 감동하다
2. 든든하다
3. 놀라다
4. 감격하다

3. 내가 그렇게 한 이유

Track 18

1. 잃어버린 물건을 찾다
2. 친구와 수다를 떨다
3. 심부름을 하다
4. 놀이터에서 놀다
5. 숙제를 하다
6. 동생을 달래다

Track 19

서영: 어제 왜 전화를 안 받았어?
타이선: 미안해. 엄마 심부름을 하느라 못 받았어.

4. 거절하는 방법

Track 20

1. 번갈아 하다
2. 다음으로 미루다
3. 약속을 다시 정하다
4. 대신해 주다
5. 시범을 보여 주다

5. '짝 찾기' 놀이 하기

Track 21

엄마: 준서야, 축구공 치웠니?
준서: 만화 보느라 아직 못 치웠어요.
엄마: 아직도 안 치웠어? 빨리 치우라니까.

준서: 지금 보는 만화만 다 보고 치우면 안 될까요?
엄마: 너나 네 동생이 실수로 공을 밟고 넘어질까 봐 그래. 어서 치워.
준서: 아, 알겠어요. 지금 치울게요.

6단원 • 실수와 후회

1. 학교에서의 실수

Track 22

1. 물을 엎지르다
2. 길을 잃다
3. 배턴을 놓치다
4. 창문을 깨뜨리다
5. 넘어지다
6. 돌부리에 발이 걸리다
7. 헛발질을 하다
8. 친구와 부딪치다

2. 교실에서의 실수

Track 23

1. 잘못 가져오다
2. 깜빡 잊다
3. 잘못 알아듣다
4. 잘못 보다
5. 못 듣다
6. 잃어버리다
7. 안 가져오다

Track 24

장위: 어떡하지? 교과서를 잘못 가져왔어.
오딜: 교과서를 잘못 가져왔구나. 그럼 나랑 같이 보자.

4. 친구와 사이좋게 지내기

Track 25

1. 양보하다
2. 친구 말을 잘 들어주다
3. 먼저 사과하다
4. 잘 도와주다
5. 놀리지 말다
6. 화내지 말다

Track 26

다니엘: 앞으로는 친구에게 먼저 양보해야지. 다음부터는 친구 말을 잘 들어줘야지. 이제 친구를 놀리지 말아야지.

Track 27

서영: 준서야, 어떡하지? 엠마가 나한테 화가 난 것 같아.
준서: 왜 둘이 싸우기라도 했어?
서영: 사실은 내가 아까 실수로 엠마 책을 찢었거든.
준서: 그랬구나. 그럼 엠마한테 사과는 했어?
서영: 그게……. 그때는 너무 당황해서 사과도 못 하고 그냥 교실 밖으로 나오고 말았어.
준서: 그런 일이 있을 때는 바로 사과하는 게 좋아. 다음에 엠마를 만나면 사과부터 해.
서영: 그래, 맞아. 그렇게 해야지. 그리고 다음부터는 미안한 일이 생기면 바로 사과해야지.

Track 28

오딜: 어떡하지? 형의 게임기를 고장 내고 말았어.
엄마: 형 게임기를? 어쩌다가?
오딜: 화장실에 가지고 들어갔다가 물에 빠뜨리고 말았어. 형이 좋아하는 게임기인데…….
엄마: 큰일 났구나. 사실대로 말하는 건 어때?
오딜: 알겠어. 앞으로는 조심해야지.

6. 재미있는 실수 말하기

Track 29

프랭크는 음료수를 정말 좋아하는 청년이었어요. 어느 날 프랭크는 음료수를 마시려고 정원에서 음료수가 담긴 컵을 막대로 젓고 있었어요. 그런데 갑자기 집에서 어머니가 부르시는 소리를 듣고, 테이블 위에 컵을 놓고 집 안으로 들어갔어요.

집으로 들어간 프랭크는 정원에 두고 온 컵을 깜빡 잊고 말았어요. 컵은 밤새 추운 정원 테이블 위에 놓여 있었어요.

다음 날 아침 정원으로 나간 프랭크는 얼어 버린 컵을 보고 생각했어요.

프랭크: '어제 컵을 집 안으로 가지고 들어갈걸. 그랬으면 얼지 않았을 텐데.'

프랭크는 컵을 안 가지고 들어간 것을 후회했어요. 그리고 컵에서 막대를 뽑으려는 순간, 컵에서 아이스바만 떨어져 나왔어요.

얼어 버린 음료수에 막대가 마치 손잡이처럼 나와 있어서, 막대를 잡고 한 입 먹어 보니 정말 맛있었어요. 프랭크는 그 순간 다짐했어요.

프랭크: '정말 맛있구나. 여름에 이렇게 아이스바를 만들어 팔아야지. 정말 잘 팔릴 거야.'

7단원 • 인물

1. 광화문 광장의 위인들

Track 30

선생님: 세종대왕은 백성을 위해 한글을 창제하셨어요. 이순신 장군은 나라를 위해 전쟁에서 싸우셨어요.

2. 위인전 속 위인들

Track 31

1. 전구를 발명하다
2. 인종 차별을 없애다
3. 가난한 사람들을 위해 봉사하다
4. 훌륭한 음악을 작곡하다
5. 블랙홀을 연구하다
6. 방사성 물질을 발견하다

3. 존경하는 인물

Track 32

어려움을 이기고 성공하다

세계에서 가장 영향력 있는 여성이 되다

Track 33

장위: 저는 오늘 제가 존경하는 인물에 대해서 발표하겠습니다. 저는 미국의 방송인 오프라 윈프리가 참 훌륭하다고 생각합니다. 그 이유는 어려움을 이기고 성공했을 뿐 아니라 세계에서 가장 영향력 있는 여성이 되었기 때문입니다. 그래서 저는 오프라 윈프리를 존경합니다.

7. 위인 소개하기

Track 34

서영:

안녕하세요? 오늘 한마음 방송 '그 사람을 알고 싶다'에서는 여러분께 테레사 수녀님을 소개해 드리겠습니다.

테레사 수녀님은 유럽 사람이었지만 인도에서 사람들을 위해 평생 봉사했습니다.

가난한 아이들을 교육했을 뿐 아니라 아픈 사람들을 치료해 주었습니다.

테레사 수녀님은 언제나 하얀 옷을 입었는데, 인도에서 하얀 옷은 가난한 사람들이 입는 옷이었습니다.

이렇게 수녀님은 언제나 가난하고 어려운 사람 편이었습니다.

그래서 인도 사람들은 아직도 테레사 수녀님을 아주 사랑하고 있습니다.

8단원 • 진로

1. 내가 좋아하는 것

Track 35

1. 자동차 장난감을 가지고 놀다
2. 인형 옷을 갈아입히다
3. 병원놀이를 하다
4. 공룡 그림책을 보다
5. 춤을 따라 추다
6. 개그 프로그램을 보다

2. 내가 잘하는 것

Track 36

1. 동물을 돌보다
2. 예쁜 인형을 그리다
3. 자동차를 잘 알다
4. 공룡 이름을 외우다
5. 노래를 만들다
6. 흉내를 내다

Track 37

선생님: 우리 반 친구들이 잘하는 것을 이야기해 봐요. 여러분, 다니엘은 무엇을 잘해요?

서영: 다니엘, 너는 친구들 흉내를 아주 잘 내잖아.

오딜: 맞아. 선생님 흉내도 아주 잘 내잖아.

3. 진로 탐구 대회

Track 38

1. 유쾌하다
2. 집중력이 강하다
3. 마음이 따뜻하다
4. 흥이 많다
5. 도전 정신이 강하다
6. 상상력이 풍부하다

7. 미래의 모습 이야기하기

Track 39

엠마: 타이선, 우리 나중에 커서 어떤 사람이 되어 있을까?

타이선: 나는 요리를 좋아하잖아. 그러니까 아마 호텔 요리사가 되어 있지 않을까?

엠마: 요리를 정말 좋아하나 봐. 진로 탐구 대회 때 네 그림을 봐서인지 벌써 네가 요리사가 된 것 같아.

타이선: 엠마, 너는 커서 뭐가 되어 있을까?

엠마: 나는 동물 돌보는 걸 잘하잖아. 수의사가 되어 있겠지.

타이선: 너도 정말 멋지다.

정답

1단원 • 기상 현상

1. 날씨에 따른 모습

2. 2) ① 장마로 인해 강물이 불어날 수 있어요.
   ② 안개로 인해 앞이 안 보일 수 있어요.
   ③ 폭설로 인해 길이 눈으로 덮일 수 있어요.
   ④ 태풍으로 인해 비바람이 몰아칠 수 있어요.

3. ① 안녕하십니까. 내일 날씨를 말씀드리겠습니다. 내일은 안개가 끼겠습니다. 안개로 인해 앞이 잘 안 보일 수 있으니 안전에 주의하시길 바랍니다.
   ② 안녕하십니까. 내일 날씨를 말씀드리겠습니다. 내일은 폭설이 내리겠습니다. 폭설로 인해 길이 눈으로 덮일 수 있으니 주의하시길 바랍니다.

2. 계절에 따른 날씨와 생활

1. 2) 여름에서 가을이 되면 온도가 내려가게 돼요.
   가을에서 겨울이 되면 온도가 내려가게 돼요.
   겨울에서 봄이 되면 온도가 올라가게 돼요.

2. 1)
황사가 심하다
습하다
쌀쌀하다
건조하다
산불이 잘 나다
눈이 따갑다
감기 몸살에 걸리기 쉽다
피부가 끈적이다

   2) ① 습할수록 피부가 끈적이게 돼요.
   ② 쌀쌀할수록 감기 몸살에 걸리기 쉽게 돼요.
   ③ 건조할수록 산불이 잘 나게 돼요.

3. 1) ① 봄
   ② 가을
   ③ 여름

3. 미세 먼지와 건강한 생활

1. 2) 크기가 매우 작은 먼지를 말합니다.
   3) 감기, 피부병이나 눈병과 같은 질병에 걸릴 수 있습니다.

2. 1)

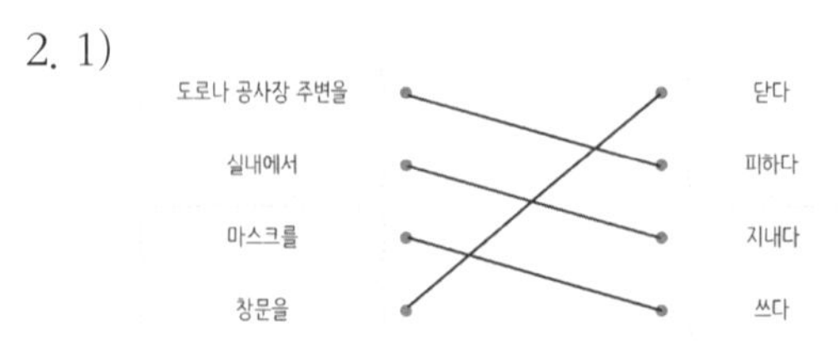

   2) 실내에서 지내도록 해요./마스크를 쓰도록 해요.

4. 여러 나라의 기후

2. 1)

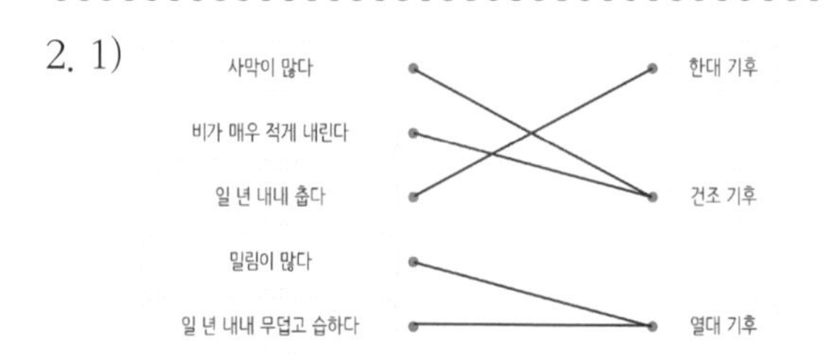

5. '계절이 되면' 놀이 하기

1. 1) 장마로/우산을
   미세 먼지로/흐리/심할수록
   2) ① 가을 날씨라 그런지 점점 건조해지네./그럴수록 산불이 잘 나게 되는 것 같아./건조할수록 불조심하도록 하자.
   ② 겨울 날씨라 그런지 점점 쌀쌀해지네./그럴수록 감기 몸살에 걸리게 되는 것 같아./쌀쌀해질수록 따뜻한 옷을 입도록 하자.
   ③ 봄 날씨라 그런지 점점 포근해지네./그럴수록 졸리게 되는 것 같아./포근해질수록 충분히 잠을 자도록 하자.

6. 신문 기사 읽기

1. 2) ○/×
   3) 건조한 날씨에 큰 도움이 된다./오염된 공기를 맑은 공기로 바꿔 준다.
2. 1)

많은 비를 품고 있다	오염된 공기를 맑은 공기로 바꾸어 준다
더운 곳에서 추운 곳으로 움직인다	건조한 날씨에 큰 도움이 된다
오염된 공기를 날려 보낸다	지구의 열이 골고루 퍼지도록 돕는다

   2) 태풍은 여러 가지 일을 해요. 태풍은 많은 비를 품고 있어요. 그래서 태풍은 건조한 날씨에 큰 도움이 돼요. 또 태풍은 더운 지역에서 추운 지역으로 이동해요. 그래서 지구의 열이 골고루 퍼지도록 도와요. 태풍은 오염된 공기를 날려 보내요. 그래서 오염된 공기를 맑은 공기로 바꾸어 줘요.

7. 일기 예보 말하기

1. 2) 서울(맑음)/대전(흐림)/대구(안개)/광주(비)/부산(비)/제주(천둥 번개)
   3) 천둥 번개와/비가/안개가 끼겠습니다/흐리겠습니다/맑겠습니다
2. (학생 이름)/서울과 대전은 비가 내리겠습니다. 대구는 흐리고 바람이 불겠습니다. 광주는 안개가 끼겠습니다. 부산과 제주는 맑겠습니다.

8. 생각 넓히기

1. 1) 비가 많이 내려요./소나기가 쏟아져요./습해요.
   2) 많은 양의 비나 소나기로 인해 → 날씨가 습해지면 → 집 안에 세균이나 곰팡이가 생겨요.
   많은 양의 비나 소나기로 인해 → 땅이 약해지면 → 산사태가 일어나요.
2. 1) 안전한 곳으로/장화를/창문을
   2) 안전한 곳으로 대피하도록 해요./날씨가 맑아지면 창문을 열도록 해요.

2단원 • 체육 활동

1. 친구와 함께 하는 운동

1. 2) ① 피구 ② 줄넘기 ③ 농구
2. ① 내가 줄을 돌릴 테니까 너는 줄을 넘을래?
   ② 내가 막대를 세울 테니까 너는 공을 굴릴래?
   ③ 내가 공을 튀길 테니까 너는 공을 뺏을래?
   ④ 내가 공을 던질 테니까 너는 공을 피할래?

2. 운동회에서 겪은 일

2. 1)

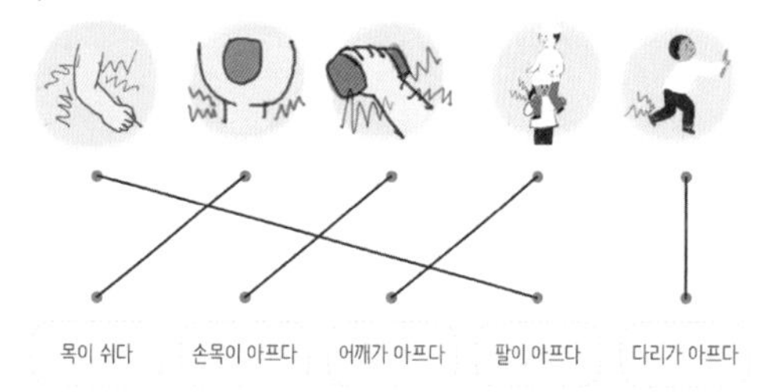

3. 운동 약속

1. 1) 엠마(탁구)/준서(수영)/빈센트(탁구)
   2) 토요일에 탁구를 치기로 했어요.
2. 2) ① 학교 끝나고 운동장에서 배드민턴 칠래?/배드민턴 대신에 탁구는 어때?/좋아. 그럼 스포츠 센터에서 보자.
   ② 학교 끝나고 체육관에서 음악 줄넘기 할래?/음악 줄넘기 대신에 자전거 타기는 어때?/좋아. 그럼 공원에서 보자.

4. 가족과 함께 간 등산

1. 1) ① ○ ② × ③ ×
   2) 주차장 옆(준비 운동을 하다)/전망대(경치를 보다)/문수사(동생의 배낭을 메다)
2. 1) 전망대에서 경치를 봤더니 저 멀리 크고 긴 다리가 보였다.
   2) 주차장에 돌아와 차에 올라탔더니 나도 모르게 잠이 왔다.

5. '몸으로 말해요' 놀이 하기

1. 1) ②/①/③

   2)

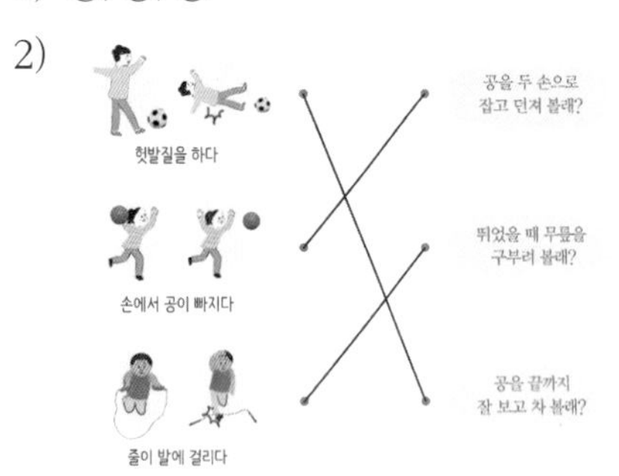

6. 이야기 말하기

2. 1) ③/②/①/④
   2) 테니까/대신에
   3) 자전거를 처음 타 보았더니 자전거가 비틀비틀 넘어질 것 같았어요.

7. 일기 쓰기

1. 1) 토요일 오후 2시에 학교에서 축구를 하고 싶어 해요.
   2) 이어달리기 연습하자.
      시간: 일요일 오전 10시
      장소: 운동장

8. 생각 넓히기

1. 1)

3단원 • 명절과 기념일

1. 설날의 모습

2. 1) ③/①/②

2. 추석의 풍습

1. 1) 차례를 지내다/송편을 빚다/곡식을 수확하다/씨름을 하다/성묘를 하다
   2) 가을에 수확한 곡식에 대해 감사하는 날이에요.
2. 추석에는 송편을 빚는데 송편은 쌀가루로 둥글게 만듭니다.
   추석에는 조상에게 차례를 지내는데 차례는 조상에게 감사하는 마음을 표현하는 풍습입니다.

3. 기념일에 하고 싶은 일

1. 1) 5월 5일은 어린이날이에요./5월 8일은 어버이날이에요.
2. 1) 오딜은 가족과 함께 놀이공원에 놀러 가고 싶어 해요.
   2) ① 나는 어린이날마다 체육 대회에 참가하곤 했어. 이번에는 친구들과 체험 학습을 가고 싶어.
      ② 나는 어버이날마다 집안일을 돕곤 했어. 이번에는 부모님께 카네이션을 접어서 드리고 싶어
      ③ 나는 어버이날마다 부모님께 노래를 불러 드리곤 했어. 이번에는 부모님께 감사 편지를 쓰고 싶어.

4. 국경일에 찾아간 곳

1. 1) 준서는 광복절에 광화문 광장에 갔어요. 엠마는 한글날에 한글박물관에 갔어요
2. ① 나는 작년 광복절에 광화문 광장에 갔어요. 광화문 광장에서 태극기를 그렸던 기억이

나요.

② 나는 작년 광복절에 광화문 광장에 갔어요. 광화문 광장에서 애국가를 불렀던 기억이 나요.

③ 나는 작년 한글날에 한글박물관에 갔어요. 한글박물관에서 한글을 예쁘게 꾸몄던 기억이 나요.

5. '접어!' 놀이 하기

1. 1) 한복을 입다/그네를 타다/윷놀이를 하다/떡국을 먹다/씨름을 하다/카네이션을 접어서 드리다/감사 편지를 쓰다
   2) ① 추석은 한국의 명절인데 추석에는 씨름을 하곤 해요.
      ② 한글날에 한글박물관을 갔는데 전시물을 보았던 기억이 나요.

6. 기행문 읽기

1. 2) 엄마는 빈센트와 한글날에 국립한글박물관에 갔어요.
   3) 글자들이 만나서 소리가 나고 뜻이 생겨나는 것이 신기하다고 했어요.
2. 글자를 예쁘게 꾸미다(한글 놀이터)/도형으로 이름을 만들다(한글 배움터)

7. 설명하는 글 쓰기

1. 1) 일본의 설날에 대해 이야기하고 있어요.
   2) 일본 사람들은 떡국과 비슷한 음식을 먹어요. 또 한복과 같은 전통 옷을 입어요.

4단원 • 모임 활동

1. 우리 학교 동아리 활동

1. 1) 요리부/글짓기부/만들기부
2. 1)

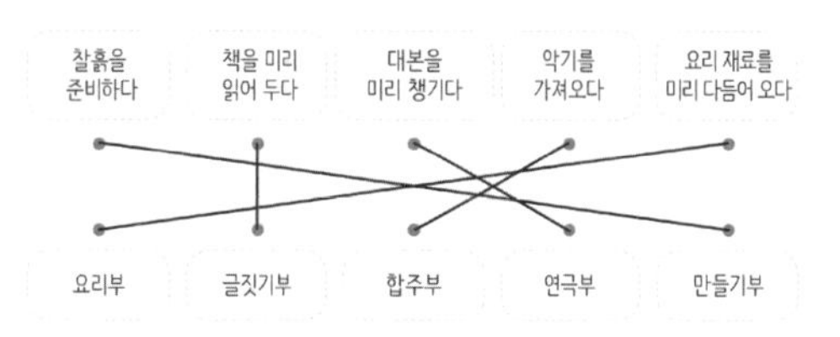

2. 현장 체험 학습

1. 1) 다니엘과 유키가 천문대로 갔어요./엄마와 오딜이 미술관으로 갔어요./장위가 영화관으로 갔어요./준서와 서영이가 동물원으로 갔어요./빈센트가 극장으로 갔어요.
2. 1) 미술 작품 감상/동물원/천문대, 달 관찰
   2) ① 다니엘은 천문대로 가재요. 저도 다니엘하고 같이 천문대에서 달을 관찰하고 싶어요.
      ② 자르갈은 극장으로 가재요. 저도 자르갈하고 같이 극장에서 연극을 보고 싶어요.
      ③ 촘푸는 동물원으로 가재요. 저도 촘푸하고 같이 동물을 구경하고 싶어요.
3. ① 서영이는 미술관에 가서 미술 작품을 감상하재요.
   ② 타이선은 동물원에 가서 동물을 구경하재요.
   ③ 자르갈은 천문대에 가서 달을 관찰하재요.

3. 봉사 활동 제안하기

1. 1) 타이선은 기분이 뿌듯했어요.
   2) 학교 축제에 요양원의 어르신들을 초대하고 싶어요.
   3) 할머니, 할아버지께서 아이들을 정말 좋아하세요.
2. 2) ① 피곤하기는 했지만 기분이 좋았어요.
      ② 힘들기는 했지만 재미있었어요.
      ③ 지치기는 했지만 보람찼어요.
      ④ 팔이 아프기는 했지만 뿌듯했어요.

4. 모둠 역할 정하기

2. 1) 기록이/지킴이/나눔이/이끔이
   2) ① 지금부터 우리 모둠의 의견을 발표하겠습니다.
      ② 다 썼으면 모아서 나에게 줘.
      ③ 그럼 엠마부터 돌아가면서 말해 볼까?
      ④ 복도에서는 걸어 다녀야 해.

6. 이야기 읽기

1. 2) 지하철과 승강장 사이에 몸이 끼이는 사고가 벌어졌어요.
   3) 생명을 구하고 싶다는 목표가 열차를 움직이는 힘이 됐어요.
2. ③/④/①/②

7. 제안하는 글 쓰기

1. 1) 우유 상자에서 우유가 바닥에 샜어요./친구들이 코를 막고 괴로워해요./우유가 서영이의 바지에 묻었어요./서영이가 속상해 해요./유키가 걸레를 들고 닦으려 해요.
2. 1) 우유 상자 안에서 우유가 새서 친구들이 힘들어 했어요.
   2) 우유갑을 씻어 바르게 세워 놓는 게 어때요?
3. 1) 친구들이 점심시간에 밥을 다 먹지 않고 남겨요.
   2) 점심시간에 밥을 다 먹지 않고 남기는 친구들이 있어요. 음식이 남으면 아깝고 또 음식물 쓰레기가 점점 많아져서 걱정이에요. 먹을 만큼만 음식을 받는 게 어때요?

8. 생각 넓히기

1. 1) 많은 젓가락이 모이면 튼튼해지기 때문이에요.
   2) 여럿이 모이면 강해진다는 것을 말하고 있어요./함께 도와야 한다는 것을 말하고 있어요./힘을 합쳐야 한다는 것을 말하고 있어요.
2. 1) 아무리 가벼운 물건도 함께 들면 더 낫다는 뜻이에요./아무리 쉬운 일이라도 서로 힘을 합하면 훨씬 쉽다는 뜻이에요.
   2) ① 무거운 물건을 옮기는 친구를 도울 때 사용할 수 있어요.
      ② 교실을 청소하는 친구를 도울 때 사용할 수 있어요.
      ③ 다리를 다친 친구를 도와줄 때 사용할 수 있어요
3. 백지장도 맞들면 낫다고 하잖아.

5단원 • 친구 관계

1. 처음 만난 친구

1. 2) 가: 오딜은 지금 기분이 어때요?
      나: 쑥스러워요./부끄러워요./불안해요./창피해요./당황스러워요.
2. ① 가: 너는 처음 전학 왔을 때 기분이 어땠어?
      나: 나는 좀 당황스러웠어.
      가: 그랬구나. 왜 당황스러웠어?
      나: 피부색이 달라서 친구들이 이상하게 생각할까 봐 그랬어.
   ② 가: 너는 처음 전학 왔을 때 기분이 어땠어?
      나: 나는 좀 창피했어.
      가: 그랬구나. 왜 창피했어?
      나: 나만 한국어를 못할까 봐 그랬어.
   ③ 가: 너는 처음 전학 왔을 때 기분이 어땠어?
      나: 나는 좀 부끄러웠어.
      가: 그랬구나. 왜 부끄러웠어?
      나: 한국어 발음을 틀릴까 봐 그랬어.

2. 고마운 친구

1. 2) 오딜이 서영이에게 쓴 편지예요.
   3) 가: 친구가 도와줬을 때 기분이 어땠어요?
      나: 그때 참 든든했어요./그때 참 놀랐어요./그때 참 감격했어요.
2. 준비물을 다 챙겼는지 전화해 준 덕분에 잊지 않고 잘 챙겼어.
   병문안을 와 준 덕분에 기운이 났어.
   학교 여기저기를 안내해 준 덕분에 학교생활에 익숙해졌어.

3. 내가 그렇게 한 이유

2. ① 가: 어제 무슨 일 있었어? 왜 전화를 안 받았어?
      나: 미안해. 심부름을 하느라고 못 받았어.
   ② 가: 어제 무슨 일 있었어? 왜 전화를 안 받았어?
      나: 미안해. 잃어버린 물건을 찾느라고 못 받았어.
   ③ 가: 어제 무슨 일 있었어? 왜 전화를 안 받았어?
      나: 미안해. 동생을 달래느라고 못 받았어.
   ④ 가: 어제 무슨 일 있었어? 왜 전화를 안 받았어?
      나: 미안해. 숙제를 하느라고 못 받았어.
   ⑤ 가: 어제 무슨 일 있었어? 왜 전화를 안 받았어?
      나: 미안해. 놀이터에서 노느라고 못 받았어.

4. 거절하는 방법

1. 2) 가: 어떻게 하는 게 좋겠어?
      나: 다음으로 미루는 게 좋겠어./약속을 다시 정하는 게 좋겠어./대신해 주는 게 좋겠어./시범을 보여 주는 게 좋겠어.
2. 가: 오늘 수업 끝나고 운동장에서 축구할래?
   나: 다음으로 미루면 안 될까?

   가: 우리 주말 약속 잊지 않았지?
   나: 약속을 다시 정하면 안 될까?

   가: 식판을 들 수 있겠어?
   나: 네가 대신해 주면 안 될까?

   가: 너도 한번 넣어 볼래?
   나: 네가 시범을 보여 주면 안 될까?
3. 좀 쉬었다가 하면 안 될까?
   우리가 자리를 양보해 드리면 안 될까?
   나도 끼워 주면 안 될까?

5. '짝 찾기' 놀이 하기

1. 1) ① 2) ③
2. 1) 타이선: 다니엘, 미안해. 숙제하느라 빌려 준 책을 다 못 읽었어.
      다니엘: 그랬구나. 숙제는 다 했어?
      타이선: 응, 다 했어. 책을 하루만 더 빌려 주면 안 될까?
      다니엘: 그래, 좋아. 그럼 내일 돌려줘.
   2) 유키: 엄마, 미안해. 딴생각을 하느라 네 말을 못 들었어.
      엠마: 그랬구나. 무슨 걱정이 있어?
      유키: 아니야. 다시 한번 말해 줄래?
      엠마: 그래, 좋아.

6. 감사 편지 쓰기

1. 1) 오딜이/선생님께
   2) 처음 한국에 왔을 때 정말 당황스러웠어요.
   3) 선생님께서 한국어를 잘 가르쳐 주신 덕분에 한국 생활에 익숙해졌기 때문이에요.

2.

> 선생님께
>
> 선생님, 안녕하세요? 저 다니엘이에요.
>
> 요즘 친구들과 오해가 생겨서 우울했어요. 그런데 선생님께서 친구들에게 제 사정을 잘 설명해 주신 덕분에 안심했어요. 정말 감사해요. 앞으로 친구들과 사이좋게 지낼게요.
>
> 다니엘 올림

7. 신문 상담 글 읽기

1. 1) 너무 섭섭하고 속상해요.
   2) 요즘 친구들이 몰래 자기 얘기를 하는 것 같아요.
   3) 우선, 친구들에게 자신의 마음을 솔직히 말해 보라고 했어요. 그러고 나서 담임 선생님을 찾아가 보라고 했어요.
2. 1) 아주 걱정이 돼요.
   2) 어느 날부터 친구가 자신들을 피하는 것 같아요.
   3) 우선, 직접 만나서 친구에게 무슨 문제가 있는지, 다른 친구들에게 섭섭한 일은 없는지 물어보라고 했어요.

8. 생각 넓히기

3. 1) 코가 납작해졌어
   2) 손에 땀을 쥐는

6단원 • 실수와 후회

1. 학교에서의 실수

1. 2)

2. 가: 표정이 왜 그래? 무슨 일 있어?
   나: 친구를 찾다가 길을 잃고 말았어./실수로 물을 엎지르고 말았어./이어달리기를 하다가 배턴을 놓치고 말았어./야구를 하다가 창문을 깨뜨리고 말았어./축구공을 차다가 헛발질을 하고 말았어./걸어가다가 돌부리에 발이 걸리고 말았어./뛰어가다가 친구와 부딪치고 말았어.
   가: 저런, 속상했겠다.
3. 1) 달리기를 하다가 넘어졌어요.
   2) 앞 친구보다 빨리 가고 싶어서 빨리 뛰었는데, 갑자기 몸이 앞으로 기울어졌어요. 그래서 넘어지고 말았어요.

2. 교실에서의 실수

2.

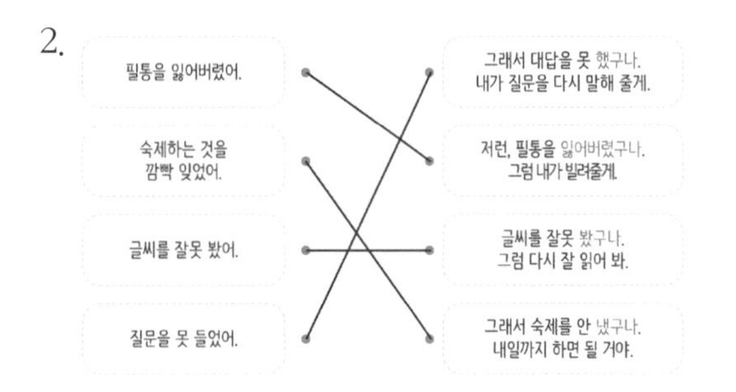

3. 후회하는 일

1. 3) ① 쿠션을 던지지 말걸.
   ② 물고기를 꺼내지 말걸.
   ③ 장난감을 치울걸.
   ④ 전화기를 떨어뜨리지 말걸.
   ⑤ 액자를 건드리지 말걸.
   ⑥ 우유 잔을 조심할걸.
2. 전화기를 떨어뜨리지 말걸.
   장난감을 치울걸.
   우유 잔을 조심할걸.

4. 친구와 사이좋게 지내기

1. 2) 앞으로는 친구에게 먼저 사과해야지.

앞으로는 친구를 잘 도와줘야지.
앞으로는 친구에게 화내지 말아야지.

2. 1)

2) 다음부터는 미안한 일이 생기면 바로 사과해야지.

4. 고장 내고 말았어
빠뜨리고 말았어
큰일 났구나
조심해야지

5. 청개구리 이야기 읽기

1. 1) 엄마는 말 안 듣는 아리 때문에 늘 속이 상했어요.
2) 아리가 늘 반대로 하니까 이렇게 말해야 아리가 엄마를 산에 묻을 거라고 생각했어요.
3) 엄마의 무덤이 떠내려갈까 봐 걱정돼서요.
2. 반찬을 골고루 먹을걸.
추운 날엔 긴바지를 입을걸.
일찍 집에 들어갈걸.
엄마 말대로 할걸.

6. 재미있는 실수 말하기

1. 2) 1, 3, 4, 2
3) 가지고 들어갈걸/잊고 말았어요/맛있구나, 팔아야지

7. 다짐의 글 쓰기

1. 1) ③
2) "조용히 하세요."라고 말씀하셨어요.
3) 수업 시간에 조용히 할 거예요.

2.

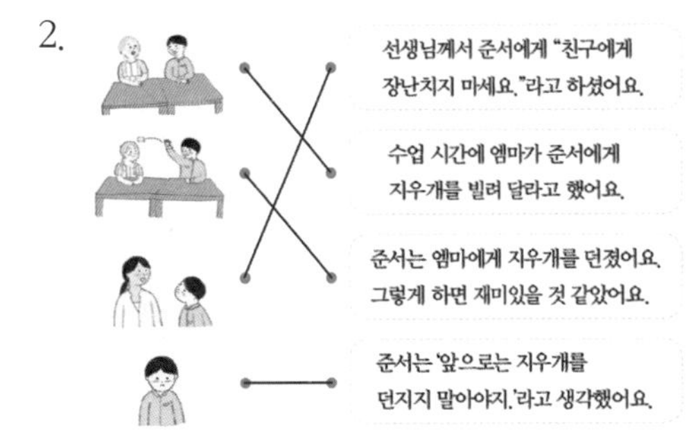

8. 생각 넓히기

2. 원숭이도 나무에서 떨어진다잖아./원숭이도 나무에서 떨어진대./원숭이도 나무에서 떨어질 때가 있어.

7단원 • 인물

1. 광화문 광장의 위인들

1. 2) 가: 세종대왕은 어떤 업적을 남기셨어요?
나: 세종대왕은 물시계를 발명하셨어요./세종대왕은 법전을 만드셨어요.
가: 이순신 장군은 어떤 업적을 남기셨어요?
나: 이순신 장군은 전쟁에서 싸우셨어요./전쟁을 대비하셨어요./거북선을 제작하셨어요.
2. 2) 세종대왕은 백성을 위해 물시계를 발명하셨어요.
세종대왕은 백성을 위해 법전을 만드셨어요.
이순신 장군은 나라를 위해 전쟁을 대비하셨어요.
이순신 장군은 나라를 위해 거북선을 제작하셨어요.

2. 위인전 속 위인들

2.

베토벤은 훌륭한 음악을 작곡했어요. 그래서 우리가 아름다운 음악을 감상할 수 있게 했어요.
넬슨 만델라는 인종 차별을 없앴어요. 그래서 흑인들의 삶이 나아지게 했어요.
마더 테레사는 가난한 사람들을 위해 봉사했어요. 그래서 많은 사람들이 굶지 않게 했어요.
스티븐 호킹은 블랙홀을 연구했어요. 그래서 우리가 우주의 신비를 알게 했어요.
퀴리 부인은 방사성 물질을 발견했어요. 그래서 의료 기술이 발전하게 했어요.

3. 존경하는 인물

2. 에디슨은 전구를 발명했을 뿐 아니라 축음기도 발명했어요.
넬슨 만델라는 인종 차별을 없애기 위해 노력했을 뿐 아니라 남아공 최초의 흑인 대통령이 되었어요.
마더 테레사는 가난한 사람들을 위해 봉사했을 뿐 아니라 고아와 환자를 도왔어요.
3. 1) 우주 과학자/블랙홀의 비밀을 밝혀/우주의 역사를 연구했습니다

4. 존경하는 이웃

1. 1) 아파트 경비 아저씨/정이 많고 책임감이 강해요./어린이들이 다칠까 봐 언제나 교통정리를 해 주세요.
2) ×/○
2. 1) 아저씨는 날씨가 어떻든지 매일 같은 시간에 신문을 가져다줘요.
2) 다니엘은 내가 무엇을 부탁하든지 다 들어줘요.
3) 강아지는 내가 어디를 가든지 늘 졸졸 따라와요.
4) 준서는 어떤 이야기를 하든지 다 재미있어요.

5. 위인전 읽기

1. 1) ① 빌 게이츠와 폴 앨런은 윈도를 개발했어요.(○)
② 빌 게이츠는 세계에서 가장 부유한 사람이에요.(○)
2) 도스는 사람들이 사용하기 어려워서 윈도를 개발했어요.
3) 세계에서 가장 부유한 사람일 뿐 아니라 세계에서 가장 기부를 많이 하는 사람으로도 유명해요.

6. 독서 감상문 쓰기

1. 1) 빌 게이츠가 도서관에서 컴퓨터에 관한 책을 모조리 빌려서 읽었던 것이에요.
2) 세계에서 가장 기부를 많이 해서 훌륭하다고 생각해요.
3) 컴퓨터를 잘하는 점을 닮고 싶어요.

7. 위인 소개하기

1. 1) 테레사 수녀님을 소개했어요.
2) 교육했을 뿐 아니라
3) 사람들을 위해/편이었습니다

8. 생각 넓히기

1.

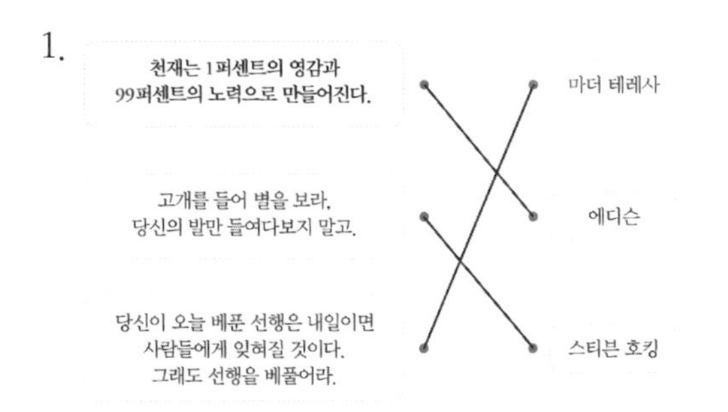

3. 천재는 1퍼센트의 영감과 99퍼센트의 노력으로 만들어진다.
   당신이 오늘 베푼 선행은 내일이면 사람들에게 잊혀질 것이다. 그래도 선행을 베풀어라.
   고개를 들어 별을 보라, 당신의 발만 들여다보지 말고.

8단원 • 진로

1. 내가 좋아하는 것

2. 가: 엠마, 너는 뭘 할 때 제일 재미있어?
   나: 난 병원놀이를 할 때 제일 재미있던데.
   가: 준서야, 너는 뭘 할 때 제일 좋아?
   나: 난 공룡 그림책을 볼 때 제일 좋던데.
   가: 유키, 너는 뭘 할 때 시간 가는 줄 모르겠어?
   나: 난 춤을 따라 출 때 시간 가는 줄 모르겠던데.
   가: 다니엘, 너는 뭘 할 때 제일 기분이 좋아?
   나: 난 개그 프로그램을 볼 때 제일 기분이 좋던데.

3. 진로 탐구 대회

2. ① 엠마는 수의사가 되고 싶구나. 마음이 따뜻한가 봐.
   ② 유키는 연예인이 되고 싶구나. 흥이 많은가 봐.
   ③ 오딜은 카레이서가 되고 싶구나. 도전 정신이 강한가 봐.
   ④ 서영이는 의상 디자이너가 되고 싶구나. 상상력이 풍부한가 봐.
3. ① 가: 엠마, 너는 커서 뭐가 되고 싶어?
   나: 난 수의사가 되고 싶어.
   가: 그래? 마음이 따뜻한가 봐.
   ② 가: 유키, 너는 커서 뭐가 되고 싶어?
   나: 난 연예인이 되고 싶어.
   가: 그래? 흥이 많은가 봐.
   ③ 가: 오딜, 너는 커서 뭐가 되고 싶어?
   나: 난 카레이서가 되고 싶어.
   가: 그래? 도전 정신이 강한가 봐.
   ④ 가: 서영아, 너는 커서 뭐가 되고 싶어?
   나: 난 의상 디자이너가 되고 싶어.
   가: 그래? 상상력이 풍부한가 봐.

4. 장래 희망

1. 1) 준서는 커서 공룡 박사가 되고 싶어요.
   2) 보아서인지
   3) 강해서인지
2. 1) 엠마는 반려동물을 키워서인지 수의사가 되고 싶어 해요.
   2) 유키는 무대에 서는 것을 좋아해서인지 연예인이 되고 싶어 해요.
   3) 오딜은 속도를 즐겨서인지 카레이서가 되고 싶어 해요.
   4) 서영이는 꾸미는 것을 좋아해서인지 의상 디자이너가 되고 싶어 해요.

5. 인터뷰 기사문 읽기

1. 1) '음식을 만드는 사람'이라는 뜻이에요.
   2) 사장님은 빵을 너무 좋아해서인지 맛있는 빵을 직접 만들어서 먹고 싶어서 파티시에가 되었어요.
   3) 사장님은 사람들이 건강하기를 바라서 좋은 재료로 빵을 만들어요.

2. 파티시에가/파티시에는/좋아해서인지
3. 서점이 사회에 필요할 것 같아서/서점에서 많은 사람을 만날 수 있/언제든 책을 읽을 수 있다고 생각해서인지 책을 많이 안 읽는다

7. 미래의 모습 이야기하기

1. 1)

2) 봐서인지
3) 엠마는 동물 돌보는 것을 잘해요.

8. 생각 넓히기

1.

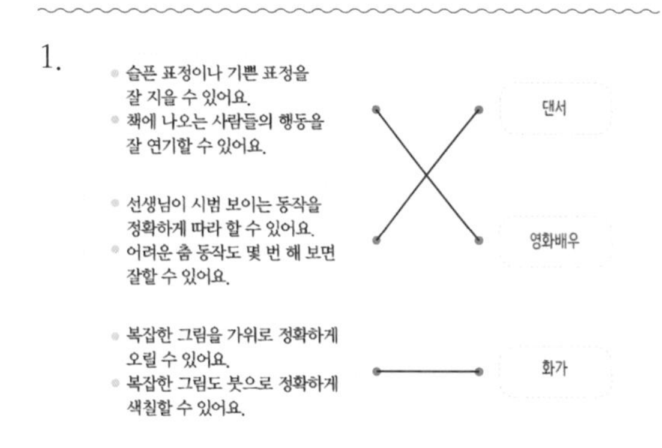

문법 색인

-게 하다 129
-기는 하지만 77
-는 게 어때요 77
-는대요 73
-으래요 73
-게 되다 21
-고 말다 109
-곤 하다 59
-기 위해서 79
-은가 보다 149
-느라고 95
-는 덕분에 93
-는데 57
대신에 41
-더라 55
-던데 145
-도록 하다 23
-든지 133
-어서인지 151
-어야지 115
-었구나 111
-었더니 39
-었던 61
으로 인해 19
-으면 안 될까 97
-을 뿐 아니라 131
을 위해 127
-을 테니까 37
-을걸 113
-을까 봐 91
-을수록 21
-잖아 147
-재요 75

어휘 색인

ㄱ

가난한 사람들을 위해 봉사하다 129
가정 통신문 79
가파르다 43
감격하다 93
감기 몸살 21
감동하다 93
개그 프로그램을 보다 145
개그 프로를 즐겨 보다 151
거북선을 제작하다 127
건조 25
건조하다 21
검사하다 79
겨루다 57
결승점 39
경치 43
고아 131
곡식 57
공룡 그림책을 보다 145
공룡 이름을 외우다 147
공연 77
공연 연습 73
공원 41
관심이 많다 151
관찰하다 75
광복절 61
구경하다 75
국경일 61
그네 55
극장 75
글짓기 73
기념 59
기념행사 61
기록이 79
기마전 39
기후 25
길을 잃다 109
깜빡 잊다 111
꾸미는 것을 좋아하다 151
끈적이다 21

ㄴ

나눔이 79
냉대 25
널뛰기 55
넘다 37
넘어지다 109
노래를 만들다 147
놀라다 93
놀리다 115
놀이공원 59
놀이터에서 놀다 95
농구 37
눈병 23

ㄷ

다듬다 73
다음으로 미루다 97
달력을 찢다 113
당황스럽다 91
대본 73
대신해 주다 97
더위 21
던지다 37
덮이다 19

도전 정신이 강하다 149
돌리다 37
돌부리에 발이 걸리다 109
동물을 돌보다 147
동생을 달래다 95
동아리 73
든든하다 93
등산 43
등산로 43
등에 업다 39
따갑다 21
떡국 55

ㅁ

마스크 23
마음이 따뜻하다 149
막다 37
메다 43
명절 57
목적지 43
몰아치다 19
못 듣다 111
무대에 서는 것을 좋아하다 151
무덥다 21
물시계를 발명하다 127
물을 엎지르다 109
미세 먼지 23
밀림 25

ㅂ

박물관 61
반려동물을 키우다 151
발표 79
방사성 물질을 발견하다 129
배드민턴 41
배턴을 놓치다 109
번갈아 하다 97
법전을 만들다 127
벽에 낙서를 하다 113
별자리 75
병원놀이를 하다 145
보람차다 77
봉사 77
부끄럽다 91
불안하다 91
불어나다 19
블랙홀을 연구하다 129
비밀을 밝히다 131
빚다 57
빛다 73
뺏다 37
뿌듯하다 77

ㅅ

사계절 25
사과하다 115
사막 25
산불 21
산사태 19
산소 57
산책하다 77
상상력이 풍부하다 149
새해 인사 55
설날 55
성묘 57
성실하다 133
소나기 19
속도를 즐기다 151
송편 57
수확하다 57
숙제를 하다 95
쉬다 39
스포츠 센터 41
습하다 21
시범을 보여 주다 97
실내 23
실외 41
심부름 77
심부름을 하다 95
쌀쌀하다 21
쑥스럽다 91
씨름 57

ㅇ

악기 73
안 가져오다 111
안개 19
안내하다 79
애국가 61
액자를 떨어뜨리다 113
약속을 다시 정하다 97
양보하다 115
어린이날 59
어버이날 59
어항을 깨뜨리다 113
연 55
연극 73
열대 25
영향력이 있다 131
영화를 관람하다 75
영화관 75
예쁜 인형을 그리다 147
온대 25
외출 23
요양원 77
우유를 쏟다 113
우주의 역사를 연구하다 131

운동회 39
유쾌하다 149
윷놀이 55
음악 줄넘기 41
응원하다 39
이끔이 79
이어달리기 39
인상 깊다 73
인종 차별을 없애다 129
인형 옷을 갈아입히다 145
잃어버리다 111
잃어버린 물건을 찾다 95

ㅈ

자동차 장난감을 가지고 놀다 145
자동차를 잘 알다 147
자전거 41
작품 75
잘못 가져오다 111
잘못 보다 111
잘못 알아듣다 111
잡아당기다 39
장난감을 늘어놓다 113
장마가 지다 19
재료 73
전구를 발명하다 129
전시물 61
전쟁에서 싸우다 127
전쟁을 대비하다 127
전화기를 고장 내다 113
정이 많다 133
제안 77
조상 57
졸음 21
주물러 드리다 77
주차장 43
준비 운동 43
준비물 79
줄넘기 37
줄다리기 39
지내다 55
지킴이 79
집안일 59
집중력이 강하다 149

ㅊ

차다 37
차단하다 23
차례를 지내다 55
찰흙 73
창문을 깨뜨리다 109
창피하다 91
책임감이 강하다 133
챙기다 43
천문대 75
체육 대회 59
체육관 41
체험 학습 59
추석 57
축구 37
축음기를 발명하다 131
축제 77
춤을 따라 추다 145
친구와 부딪치다 109
친구와 수다를 떨다 95

ㅋ

콩 주머니 39
쿠션을 망가뜨리다 113

ㅌ

탁구 41
태극기 61
태풍 19
튀기다 37

ㅍ

포근하다 21
폭설 19
풍습 57
피구 37
피부병 23
피하다 37

ㅎ

학급 규칙 79
한대 25
한글날 61
한글을 창제하다 127
한복 55
합주 73
해설 75
헛발질을 하다 109
화내다 115
환자 131
황사 21
훌륭한 음악을 작곡하다 129
흉내를 내다 147
흥이 많다 149

담당 연구원 ——

정혜선 국립국어원 학예연구사
박지수 국립국어원 연구원

집필진 ——

책임 집필
이병규 서울교육대학교 국어교육과 교수

공동 집필
박지순 연세대학교 글로벌인재대학 교수
손희연 서울교육대학교 국어교육과 교수
안찬원 서울창도초등학교 교사
오경숙 서강대학교 전인교육원 교수
이효정 국민대학교 교양대학 교수
김세현 서울명신초등학교 교사
김정은 서울가원초등학교 교사
박유현 연세대학교 언어연구교육원 한국어학당 강사
박창균 대구교육대학교 국어교육과 교수
박혜연 서울교대부설초등학교 교사
박효훈 서울원명초등학교 교사
신윤정 서울도림초등학교 교사
이은경 세종사이버대학교 한국어학과 교수
이현진 서울천일초등학교 교사
최근애 서울사근초등학교교사
강수연 서울선곡초등학교 다문화언어 교원

초등학생을 위한
표준 한국어
의사소통 4 · 고학년

초판 1쇄 발행 | 2019년 2월 25일
초판 4쇄 발행 | 2023년 11월 7일

기획 | 국립국어원
지은이 | 이병규 외
발행인 | 정은영
책임 편집 | 한미경
디자인 | 표지디자인붐, 본문디자인붐, 박기연, 박현정, 윤혜민
일러스트 | 우민혜, 민효인, 김채원
사진 제공 | 셔터스톡, 국립한글박물관
음악 | KOMCA 승인 필

펴낸곳 | 마리북스
출판 등록 | 제2019-000292호
주소 | (04037) 서울시 마포구 양화로 59 화승리버스텔 503호

전화 | 02)336-0729, 0730
팩스 | 070)7610-2870
이메일 | mari@maribooks.com
인쇄 | 금명문화(주)

ISBN 979-11-89943-01-1(64710)
978-89-94011-91-2(64710)(set)

* 잘못된 책은 바꿔드립니다.
* 가격은 뒤표지에 있습니다.